365

REFLEXIONES para MEJORAR

© Profit Editorial I., S.L., 2025
  Travessera de Gràcia, 18-20; 6º 2ª; Barcelona-08021

Diseño de cubierta y maquetación: XicArt

ISBN: 979-13-87796-04-4

Impresión: RR Donnelley Asia Printing Solutions Limited, China

			1	2	3	**4**
5	**6**	7	8	9	10	**11**
12	13	14	15	16	17	**18**
19	20	21	22	23	24	**25**
26	27	28	29	30	31	

«Los problemas nunca terminan, pero tampoco las soluciones».

Paulo Coelho

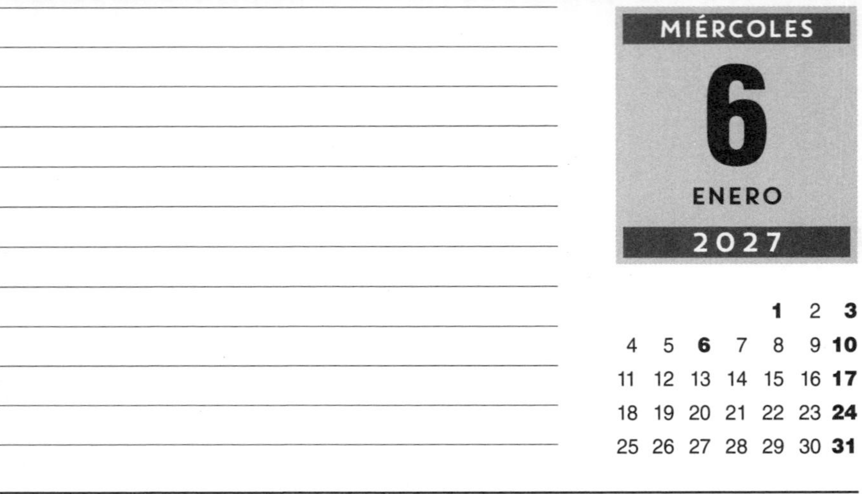

«Recargar tu energía no es perder el tiempo,
es prepararte para vivirlo mejor».

		1	2	3	4
5	6	7	8	9	10	11
12	13	14	15	16	17	18
19	20	21	22	23	24	25
26	27	28	29	30	31

«Prohibido cometer dos veces el mismo error, a menos que salgas ganando».

Mae West

«La verdadera grandeza no se encuentra en lo que tenemos,
sino en lo que compartimos con los demás».

		1	2	3	**4**	
5	**6**	7	8	9	10	**11**
12	13	14	15	16	17	**18**
19	20	21	22	23	24	**25**
26	27	28	29	30	31	

«Si no es correcto, no lo hagas; si no es verdad, no lo digas».

Marco Aurelio

LUNES

4

ENERO

2027

				1	2	**3**
4	5	**6**	7	8	9	**10**
11	12	13	14	15	16	**17**
18	19	20	21	22	23	**24**
25	26	27	28	29	30	**31**

«La Marca Personal es la huella que dejamos en la mente y el corazón de las personas, con nuestras Actitudes y Acciones del día a día».

Juanita Acevedo

		1	2	3	**4**	
5	**6**	7	8	9	10	**11**
12	13	14	15	16	17	**18**
19	20	21	22	23	24	**25**
26	27	28	29	30	31	

«El liderazgo no es la gestión de la perfección es la gestión de la imperfección. Empezando por la nuestra».

Pablo Gutiérrez

				1	2	**3**
4	5	**6**	7	8	9	**10**
11	12	13	14	15	16	**17**
18	19	20	21	22	23	**24**
25	26	27	28	29	30	**31**

«En medio del invierno, descubrí que había en mí un verano invencible».

Albert Camus

		1	2	3	**4**
5	**6**	7	8	9	10	**11**
12	13	14	15	16	17	**18**
19	20	21	22	23	24	**25**
26	27	28	29	30	31	

«Dios mira las manos limpias, no las llenas».

Publio Sirio

«Creo que, a veces, los mayores desafíos acaban siendo lo mejor que te ha pasado».

Michael Phelps

		1	2	3	**4**	
5	**6**	7	8	9	10	**11**
12	13	14	15	16	17	**18**
19	20	21	22	23	24	**25**
26	27	28	29	30	31	

«Admira a quien lo intenta, aunque fracase».

Séneca

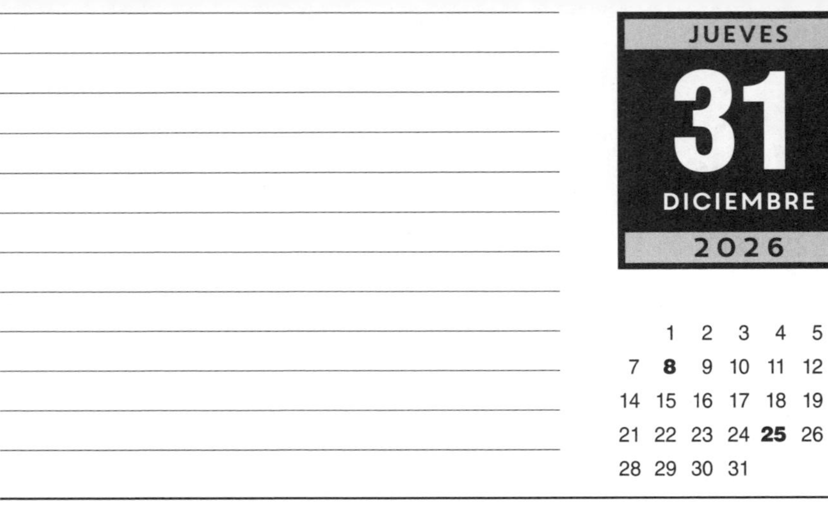

«No cuentes los días, haz que los días cuenten».

Mohamed Alí

			1	2	3	**4**
5	**6**	7	8	9	10	**11**
12	13	14	15	16	17	**18**
19	20	21	22	23	24	**25**
26	27	28	29	30	31	

«La mala noticia es que el tiempo vuela; la buena,
que el piloto eres tú».

	1	2	3	4	5	**6**
7	**8**	9	10	11	12	**13**
14	15	16	17	18	19	**20**
21	22	23	24	**25**	26	**27**
28	29	30	31			

«La vida es 10% lo que me ocurre y 90% cómo reacciono ante ello».

Charles R. Swindoll

			1	2	3	**4**
5	**6**	7	8	9	10	**11**
12	13	14	15	16	17	**18**
19	20	21	22	23	24	**25**
26	27	28	29	30	31	

«Es más fácil sonreír que explicar por qué estás triste».

Marylin Monroe

«El cambio no llegará si esperamos a otra persona o a otro momento.
Nosotros somos el cambio que buscamos».

Barack Obama

			1	2	3	**4**
5	**6**	7	8	9	10	**11**
12	13	14	15	16	17	**18**
19	20	21	22	23	24	**25**
26	27	28	29	30	31	

«No olvides lo que debes recordar y recuerda
lo que No debes olvidar».

LUNES

28

DICIEMBRE

2026

	1	2	3	4	5	**6**
7	**8**	9	10	11	12	**13**
14	15	16	17	18	19	**20**
21	22	23	24	**25**	26	**27**
28	29	30	31			

«No solo subas la escalera... asegúrate de que esté apoyada en la pared correcta».

Karen Dillon

«Acércate a gente que sume y multiplique.
Aléjate de quienes resten y dividan».

Juanita Acevedo

«No tengas miedo de empezar de nuevo. Esta vez no partes desde cero, partes desde la experiencia».

	1	2	3	4	5	**6**
7	**8**	9	10	11	12	**13**
14	15	16	17	18	19	**20**
21	22	23	24	**25**	26	**27**
28	29	30	31		

		1	2	3	4
5	6	7	8	9	10	11
12	13	14	15	16	17	18
19	20	21	22	23	24	25
26	27	28	29	30	31

«El verdadero emprendedor no es un soñador, es un hacedor».

Nolan Bushnell

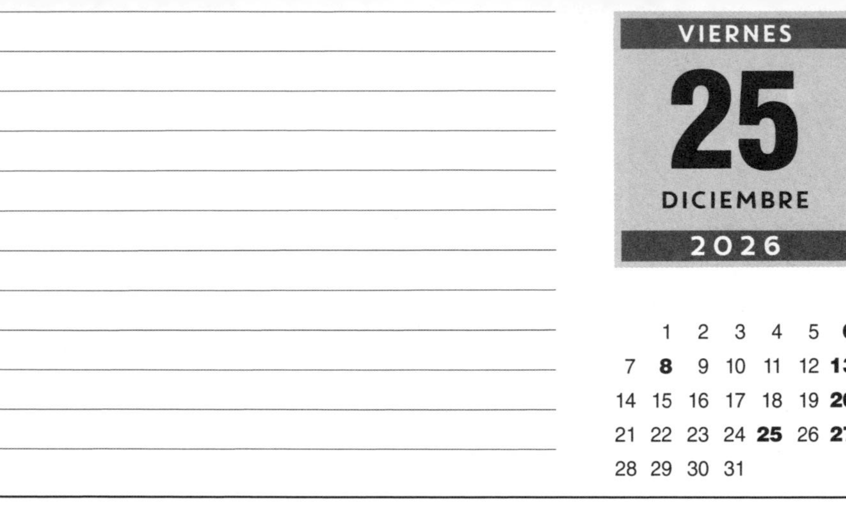

«Una palabra tras otra. Así es como se escribe un libro».

		1	2	3	**4**	
5	**6**	7	8	9	10	**11**
12	13	14	15	16	17	**18**
19	20	21	22	23	24	**25**
26	27	28	29	30	31	

«Las dificultades fortalecen la mente, como el trabajo fortalece el cuerpo».

Séneca

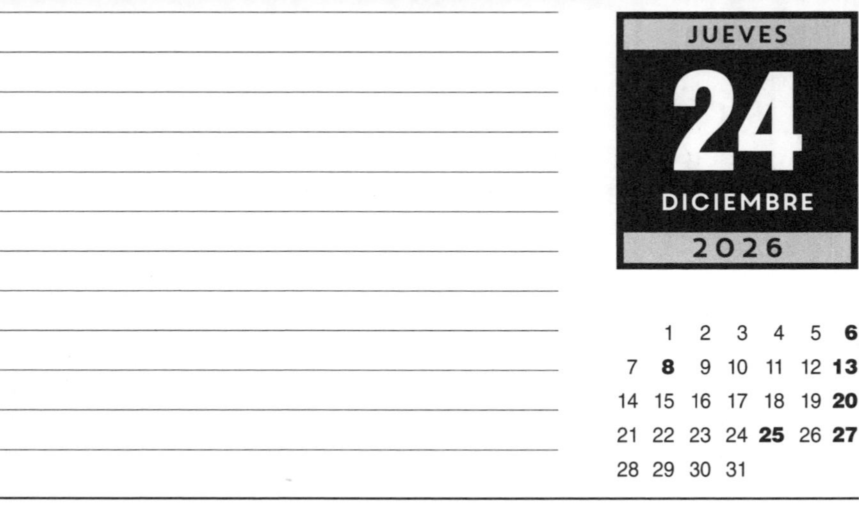

«No seas tan dulce que te coman, ni tan amargo que te escupan».

			1	2	3	**4**
5	**6**	7	8	9	10	**11**
12	13	14	15	16	17	**18**
19	20	21	22	23	24	**25**
26	27	28	29	30	31	

«El mejor diplomático es aquel que habla más y dice menos».

Oscar Wilde

«Leer es viajar sin moverse, y aburrirse es quedarse sin pasaje.
Llévate un libro».

		1	2	3	**4**
5	**6**	7	8	9	10	**11**
12	13	14	15	16	17	**18**
19	20	21	22	23	24	**25**
26	27	28	29	30	31	

«La creatividad consiste en pensar en cosas nuevas. La innovación consiste en hacerlas».

Theodore Levitt

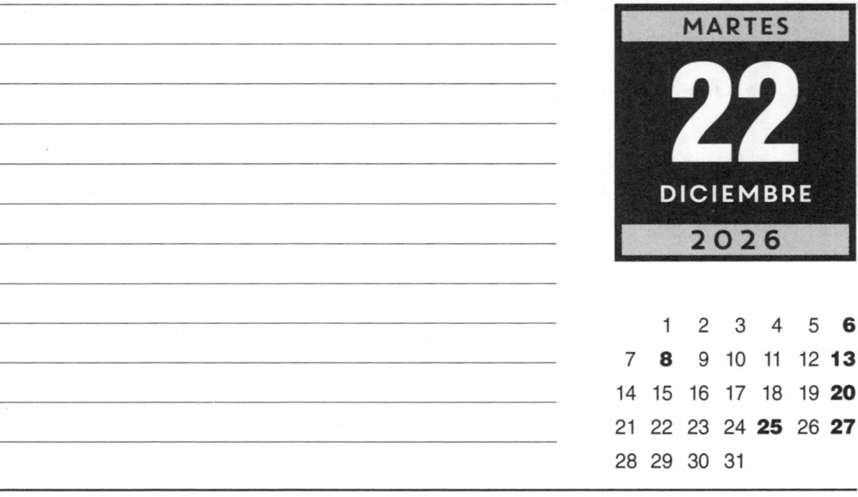

«Cuando ya no podemos cambiar una situación, estamos desafiados a cambiarnos a nosotros mismos».

Victor Frankl

		1	2	3	4
5	6	7	8	9	10	11
12	13	14	15	16	17	18
19	20	21	22	23	24	25
26	27	28	29	30	31	

«Si eres uno más, serás uno menos».

Andrés Pérez Ortega

		1	2	3	4	5	**6**
7	**8**	9	10	11	12	**13**
14	15	16	17	18	19	**20**
21	22	23	24	**25**	26	**27**
28	29	30	31			

«No puedes elegir el tiempo que hace hoy,
pero sí puedes elegir qué haces hoy con tu tiempo».

Marcos Álvarez

		1	2	3	**4**	
5	**6**	7	8	9	10	**11**
12	13	14	15	16	17	**18**
19	20	21	22	23	24	**25**
26	27	28	29	30	31	

«Integrar el propósito en el modelo de negocio ya no es una opción, es una ventaja competitiva».

Ángel Bonet

«A veces, lo más valiente que puedes hacer
es descansar».

	1	2	3	4	5	**6**
7	**8**	9	10	11	12	**13**
14	15	16	17	18	19	**20**
21	22	23	24	**25**	26	**27**
28	29	30	31			

		1	2	3	**4**
5	**6**	7	8	9	10	**11**
12	13	14	15	16	17	**18**
19	20	21	22	23	24	**25**
26	27	28	29	30	31

«De cada diez oportunidades que te da la vida nueve las produces tú».

Dwight Eisenhower

VIERNES

18

DICIEMBRE

2026

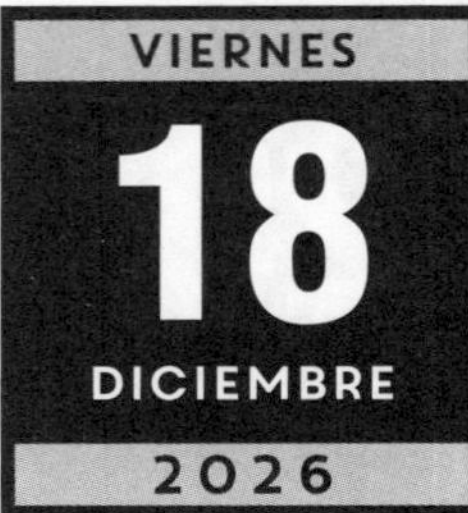

	1	2	3	4	5	**6**
7	**8**	9	10	11	12	**13**
14	15	16	17	18	19	**20**
21	22	23	24	**25**	26	**27**
28	29	30	31			

«El éxito es un viaje, no un destino».

Ben Sweetland

			1	2	3	4
5	6	7	8	9	10	11
12	13	14	15	16	17	18
19	20	21	22	23	24	25
26	27	28	29	30	31	

«El error no es una vergüenza; en ciencia es una herramienta».

Jorge Wagensberg

JUEVES

17

DICIEMBRE

2026

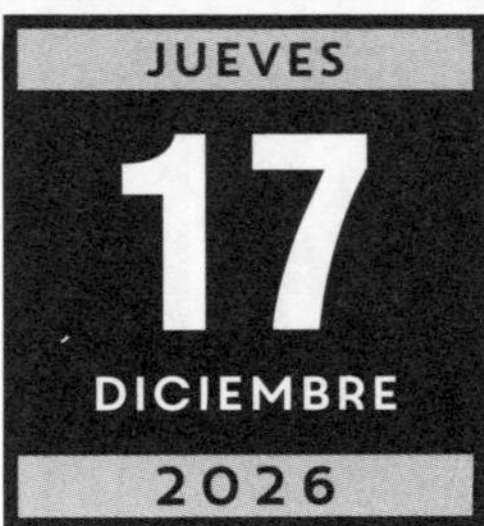

	1	2	3	4	5	**6**
7	**8**	9	10	11	12	**13**
14	15	16	17	18	19	**20**
21	22	23	24	**25**	26	**27**
28	29	30	31			

«La paz interior empieza cuando eliges no reaccionar ante todo lo que te provoca».

			1	2	3	**4**
5	**6**	7	8	9	10	**11**
12	13	14	15	16	17	**18**
19	20	21	22	23	24	**25**
26	27	28	29	30	31	

«Nunca pierdas la esperanza… Los milagros pasan todos los días».

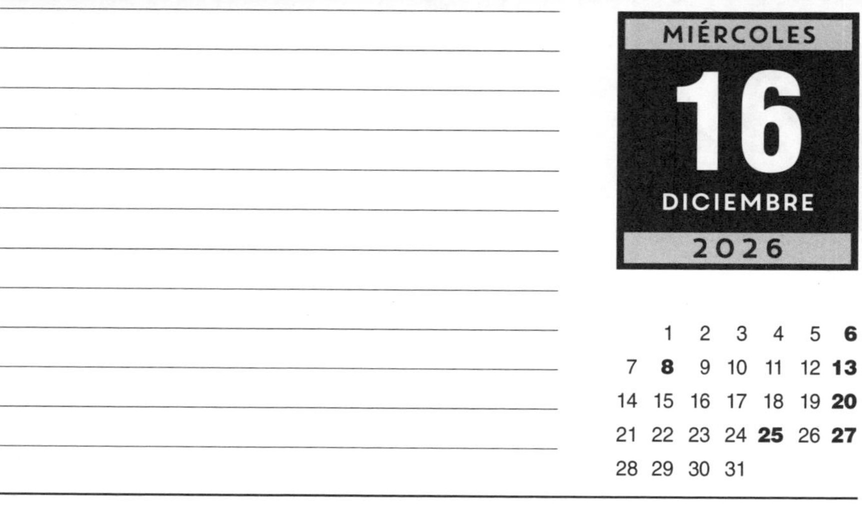

«La elocuencia es saberse expresar con éxito cuando no se tiene tiempo para prepararse y, limitarse a lo indispensable».

			1	2	3	**4**
5	**6**	7	8	9	10	**11**
12	13	14	15	16	17	**18**
19	20	21	22	23	24	**25**
26	27	28	29	30	31	

«En momentos de crisis, solo la imaginación es más importante que el conocimiento».

Albert Einstein

MARTES

15

DICIEMBRE

2026

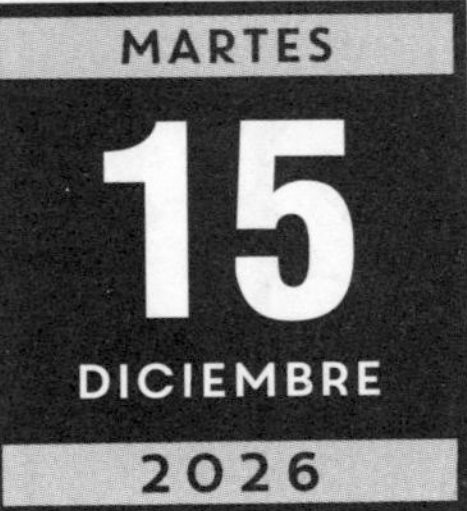

	1	2	3	4	5	**6**
7	**8**	9	10	11	12	**13**
14	15	16	17	18	19	**20**
21	22	23	24	**25**	26	**27**
28	29	30	31			

«La diferencia entre lo ordinario y lo extraordinario es ese pequeño extra».

	1	2	3	4
5	6	7	8	9	10	11
12	13	14	15	16	17	18
19	20	21	22	23	24	25
26	27	28	29	30	31

«La decisión más importante que tomas es estar de buen humor».

Voltaire

	1	2	3	4	5	**6**
7	**8**	9	10	11	12	**13**
14	15	16	17	18	19	**20**
21	22	23	24	**25**	26	**27**
28	29	30	31			

«Las grandes ideas vienen del inconsciente. Pero tu inconsciente debe estar bien informado, o la idea no valdrá nada».

David Ogilvy

		1	2	3	**4**	
5	**6**	7	8	9	10	**11**
12	13	14	15	16	17	**18**
19	20	21	22	23	24	**25**
26	27	28	29	30	31	

«Sé un buen ancestro. Tu legado no está en lo que acumulas, sino en cómo contribuyes».

Vicente Ferrio

	1	2	3	4	5	**6**
7	**8**	9	10	11	12	**13**
14	15	16	17	18	19	**20**
21	22	23	24	**25**	26	**27**
28	29	30	31			

«Si ves asomar los colmillos del león, no pienses
que el león sonríe».

			1	2	3	4
5	6	7	8	9	10	11
12	13	14	15	16	17	18
19	20	21	22	23	24	25
26	27	28	29	30	31	

«La vida no se trata de esperar a que pase la tormenta,
sino de aprender a bailar bajo la lluvia».

VIERNES

11

DICIEMBRE

2026

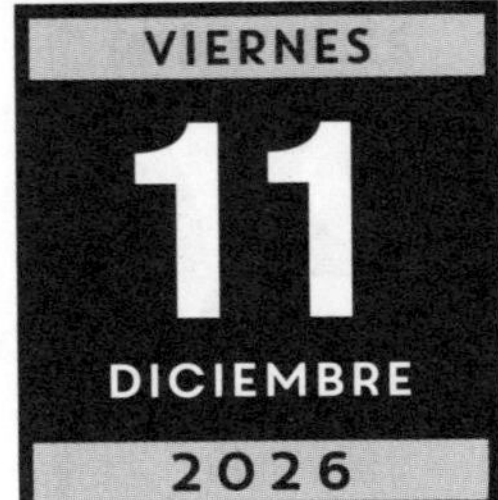

	1	2	3	4	5	**6**
7	**8**	9	10	11	12	**13**
14	15	16	17	18	19	**20**
21	22	23	24	**25**	26	**27**
28	29	30	31			

«Tienes que saber cómo aceptar la burla
y cómo decirle al mundo: 'Yo soy quien soy'».

Ray Bradbury

		1	2	3	4
5	6	7	8	9	10	11
12	13	14	15	16	17	18
19	20	21	22	23	24	25
26	27	28	29	30	31

«Haz de cada día tu obra maestra».

John Wooden

JUEVES

10

DICIEMBRE

2026

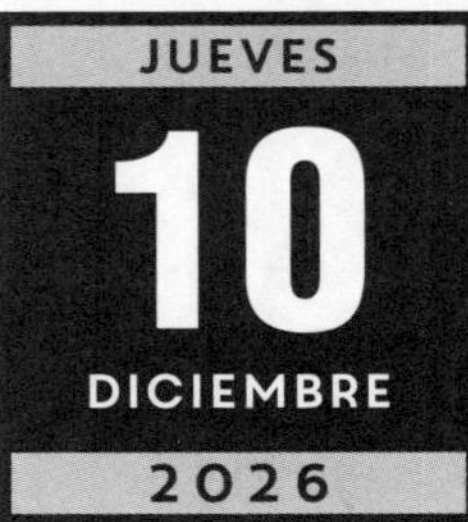

	1	2	3	4	5	**6**
7	**8**	9	10	11	12	**13**
14	15	16	17	18	19	**20**
21	22	23	24	**25**	26	**27**
28	29	30	31			

«Estar en paz no significa que todo esté perfecto,
sino que estás bien aun cuando no lo está».

		1	2	3	**4**	
5	**6**	7	8	9	10	**11**
12	13	14	15	16	17	**18**
19	20	21	22	23	24	**25**
26	27	28	29	30	31	

«Emprender es entender que no hay sueldo a final de mes.
Que pierdes el sueño muchas noches y que la lucha debe ser continua».

Leopoldo Abadía

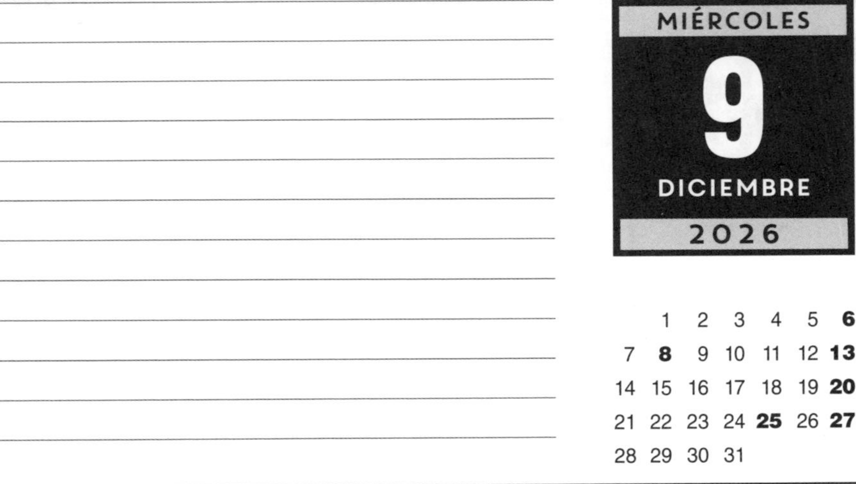

«El verdadero poder no reside en el sable,
sino en la voluntad de no rendirse».

Zarqa al Yamama

			1	2	3	4
5	6	7	8	9	10	11
12	13	14	15	16	17	18
19	20	21	22	23	24	25
26	27	28	29	30	31	

«La inteligencia no se alimenta de respuestas, sino de preguntas».

Albert Einstein

	1	2	3	4	5	**6**
7	**8**	9	10	11	12	**13**
14	15	16	17	18	19	**20**
21	22	23	24	**25**	26	**27**
28	29	30	31			

«Solo los espíritus inquietos convierten
el aburrimiento en aventura».

«No eres lo que dices, eres lo que haces».

1	2	3	4	5	**6**
7	**8**	9	10	11	12	**13**
14	15	16	17	18	19	**20**
21	22	23	24	**25**	26	**27**
28	29	30	31		

«El éxito en el trading no se trata de tener razón, sino de poder convivir con estar equivocado».

Brett N. Steenbarger

						1
2	3	4	5	6	7	8
9	10	11	12	13	14	15
16	17	18	19	20	21	22
23	24	25	26	27	28	

«La tecnología debe ser una herramienta para contectarnos mejor con la vida, no para desconectrnos cada día más del mundo que nos rodea».

Joana Barbany

«No se logra todo lo que se desea. El viento sopla en contra de lo que desean los barcos».

Al Mutanabbi

	1	2	3	4	5	**6**
7	**8**	9	10	11	12	**13**
14	15	16	17	18	19	**20**
21	22	23	24	**25**	26	**27**
28	29	30	31			

						1
2	3	4	5	6	7	**8**
9	10	11	12	13	14	**15**
16	17	18	19	20	21	**22**
23	24	25	26	27	28	

«La verdadera prueba de un líder es si las personas siguen
a su ejemplo, no solo a sus palabras».

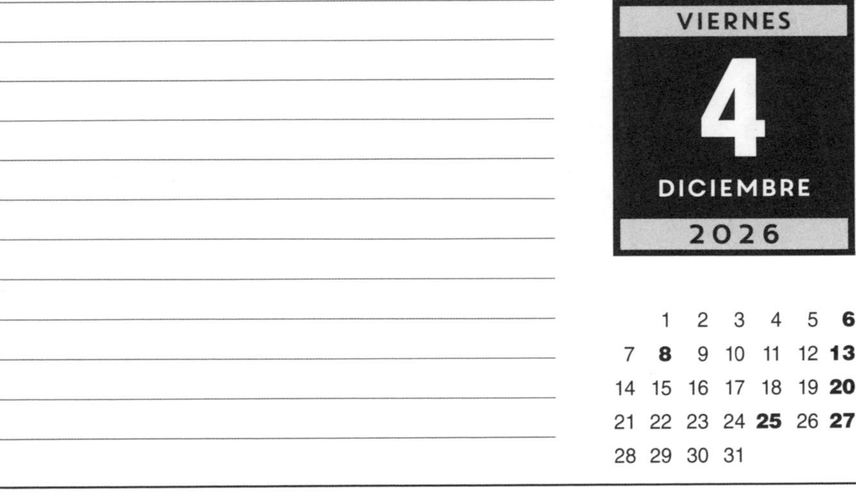

«No estás roto, estás en construcción».

						1
2	3	4	5	6	7	**8**
9	10	11	12	13	14	**15**
16	17	18	19	20	21	**22**
23	24	25	26	27	28	

«Cuando todo parece ir en tu contra, recuerda que el avión despega contra el viento, no a favor de él».

Henry Ford

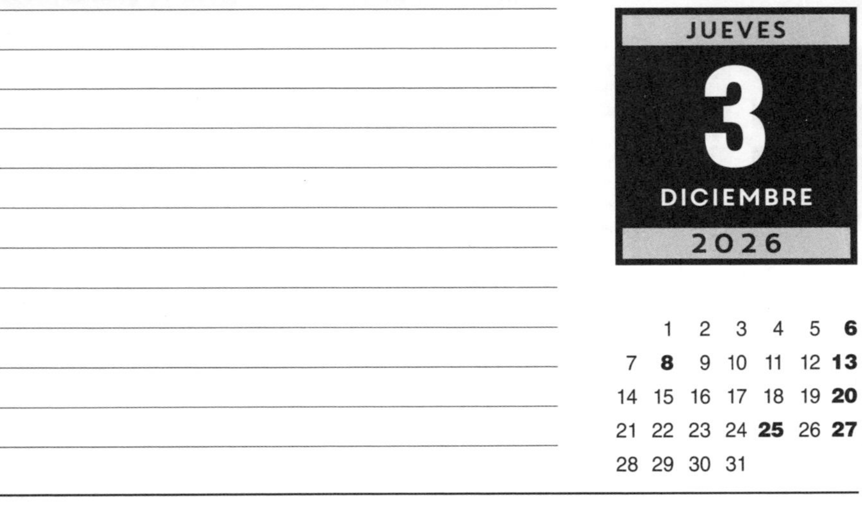

«Hasta que lo inconsciente no se haga consciente,
dirigirá tu vida y lo llamarás destino».

Carl Jung

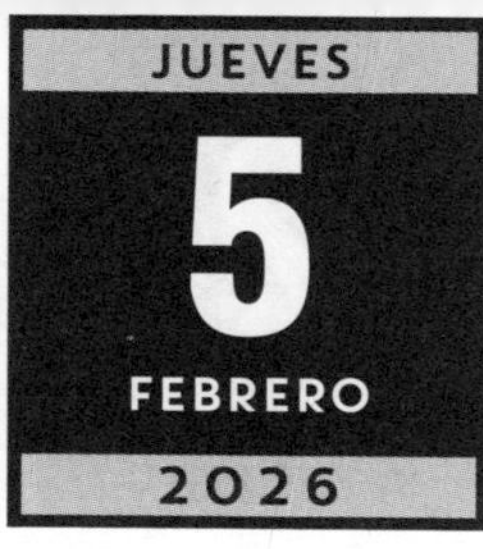

						1
2	3	4	5	6	7	8
9	10	11	12	13	14	15
16	17	18	19	20	21	22
23	24	25	26	27	28	

«El único límite a nuestros logros de mañana está en nuestras dudas de hoy».

Franklin D. Roosevelt

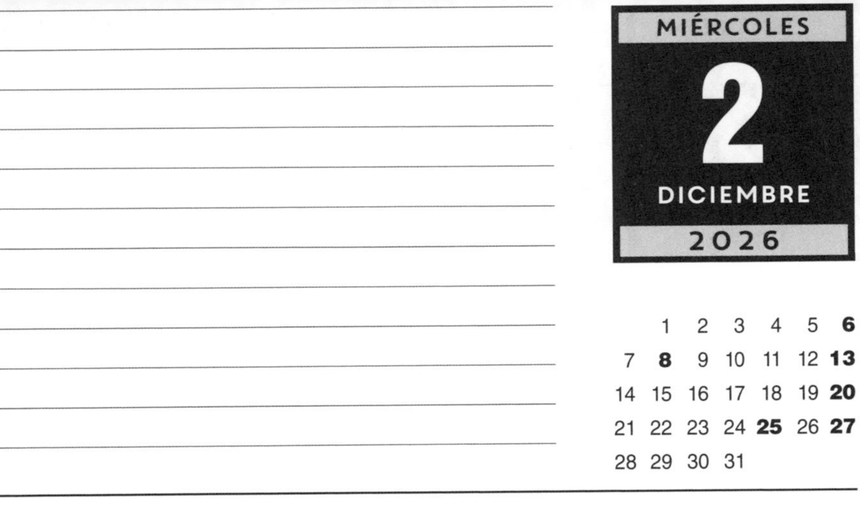

«El arte más grande nace del tedio más profundo».

						1
2	3	4	5	6	7	**8**
9	10	11	12	13	14	**15**
16	17	18	19	20	21	**22**
23	24	25	26	27	28	

«La vida no se mide por las veces que respiramos, sino por los momentos que nos dejan sin aliento».

«La ideología no consiste en lo que piensas,
sino en cómo actúas incluso sin pensar».

Slavoj Žižek

						1
2	3	4	5	6	7	**8**
9	10	11	12	13	14	**15**
16	17	18	19	20	21	**22**
23	24	25	26	27	28	

«No dejes que lo que no puedes hacer interfiera con lo que puedes hacer».

John Wooden

«Sin actitud no hay cambio: cambia tu actitud».

Marcos Álvarez

						1
2	3	4	5	6	7	8
9	10	11	12	13	14	15
16	17	18	19	20	21	22
23	24	25	26	27	28	

«El camino fácil es el difícil. Recuerda esto al tomar decisiones».

César Piqueras

SÁBADO

28

DOMINGO

29

NOVIEMBRE

2026

						1
2	3	4	5	6	7	**8**
9	10	11	12	13	14	**15**
16	17	18	19	20	21	**22**
23	24	25	26	27	28	**29**
30						

«La guerra no es el deseo de un corazón,
sino la necesidad de defender lo que es justo».

Zarqa al Yamama

						1
2	3	4	5	6	7	**8**
9	10	11	12	13	14	**15**
16	17	18	19	20	21	**22**
23	24	25	26	27	28	

«Las carreteras rectas no hacen conductores hábiles».

Paulo Coelho

«El esfuerzo constante supera al talento cuando el talento no se esfuerza».

Kevin Duran

						1
2	3	4	5	6	7	**8**
9	10	11	12	13	14	**15**
16	17	18	19	20	21	**22**
23	24	25	26	27	28	

«Lo que caracteriza a un sabio es su capacidad de elección».

«Las aves oyen las palabras del día y los ratones las de la noche».

Proverbio coreano

						1
2	3	4	5	6	7	8
9	10	11	12	13	14	15
16	17	18	19	20	21	22
23	24	25	26	27	28	

«Los grandes líderes no encuentran excusas, encuentran soluciones».

John C. Maxwell

«El éxito es la habilidad de ir de fracaso en fracaso
sin perder el entusiasmo».

Winston Churchill

						1
2	3	4	5	6	7	**8**
9	10	11	12	13	14	**15**
16	17	18	19	20	21	**22**
23	24	25	26	27	28	

«Día a día, lo que eliges, lo que piensas y lo que haces,
es en lo que te conviertes».

Heráclito

«La oportunidad es un fenómeno curioso; nunca sabes
si es la última, nunca sabes si es la única. ¡Aprovéchalas todas!».

						1
2	3	4	5	6	7	**8**
9	10	11	12	13	14	**15**
16	17	18	19	20	21	**22**
23	24	25	26	27	28	

«El que puede tener paciencia, puede tener lo que quiera».

Benjamin Franklin

«Las emociones son datos, úsalos, no los suprimas».

Amy Gallo

						1
2	3	4	5	6	7	8
9	10	11	12	13	14	15
16	17	18	19	20	21	22
23	24	25	26	27	28	

«Sin un liderazgo comprometido, cualquier intento de transformación está destinado al fracaso».

Néstor Gavilán Ferrer

«El que domina a otros es fuerte; el que se domina
a sí mismo es poderoso».

Lao-Tsé

						1
2	3	4	5	6	7	**8**
9	10	11	12	13	14	**15**
16	17	18	19	20	21	**22**
23	24	25	26	27	28	**29**
30						

						1
2	3	4	5	6	7	**8**
9	10	11	12	13	14	**15**
16	17	18	19	20	21	**22**
23	24	25	26	27	28	

«La vida no espera a que estés bien. Levántate cada día
y sigue adelante».

«El cobarde se asusta aún por cosas de cuya existencia
no ha llegado a cerciorarse».

						1
2	3	4	5	6	7	**8**
9	10	11	12	13	14	**15**
16	17	18	19	20	21	**22**
23	24	25	26	27	28	

«Lo único imposible es aquello que no intentas».

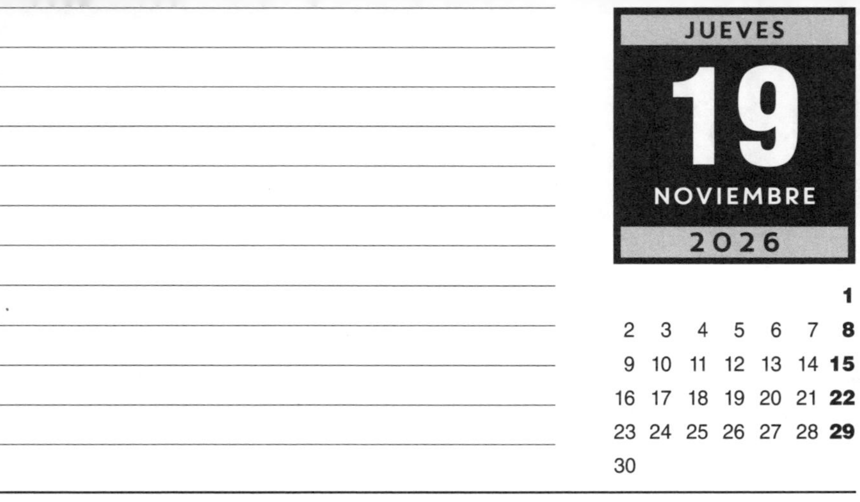

«A través de la educación, no solo transformamos nuestras vidas, sino también el mundo que nos rodea».

Fátima al-Fihiri

						1
2	3	4	5	6	7	**8**
9	10	11	12	13	14	**15**
16	17	18	19	20	21	**22**
23	24	25	26	27	28	

«Una persona es grande no porque no haya fracasado; una persona es grande porque el fracaso no lo ha detenido».

Confucio

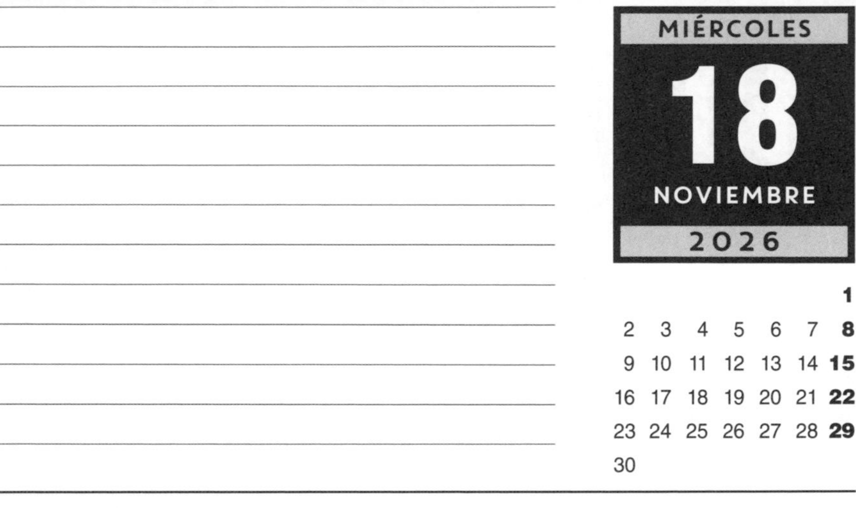

«El conocimiento es como el agua que bebemos,
como el aire que respiramos».

Taha Hussein

						1
2	3	4	5	6	7	**8**
9	10	11	12	13	14	**15**
16	17	18	19	20	21	**22**
23	24	25	26	27	28	

«Tu vida no mejora por casualidad, mejora por cambio».

Jim Rohn

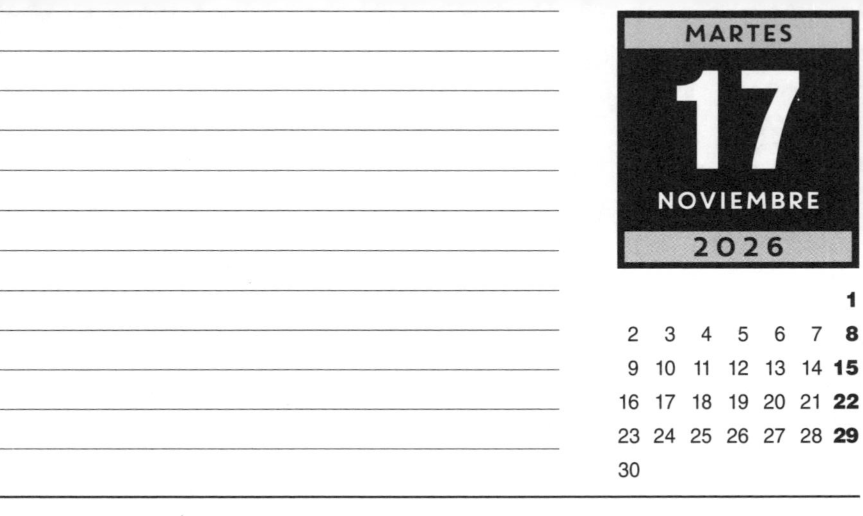

«No se trata de ser el mejor, se trata de ser mejor que ayer».

						1
2	3	4	5	6	7	**8**
9	10	11	12	13	14	**15**
16	17	18	19	20	21	**22**
23	24	25	26	27	28	

«Para ser irremplazable, uno debe buscar siempre ser diferente».

Coco Chanel

						1
2	3	4	5	6	7	**8**
9	10	11	12	13	14	**15**
16	17	18	19	20	21	**22**
23	24	25	26	27	28	**29**
30						

«Tu valor no está en un título, sino en lo que construyes con lo que sabes».

Vicente Ferrio

						1
2	3	4	5	6	7	**8**
9	10	11	12	13	14	**15**
16	17	18	19	20	21	**22**
23	24	25	26	27	28	

«El mero hecho de escuchar y compartir un problema con alguien, ya alivia su carga».

Pablo Gutiérrez

SÁBADO

14

DOMINGO

15

NOVIEMBRE

2026

						1
2	3	4	5	6	7	**8**
9	10	11	12	13	14	**15**
16	17	18	19	20	21	**22**
23	24	25	26	27	28	**29**
30						

«Cada pequeño instante tiene su propia magia,
solo hay que saber verla».

Katherine Mansfield

						1
2	3	4	5	6	7	**8**
9	10	11	12	13	14	**15**
16	17	18	19	20	21	**22**
23	24	25	26	27	28	

«Vale la pena conocer al enemigo, entre otras cosas por si algún día se convierte en amigo».

Margaret Thatcher

						1
2	3	4	5	6	7	8
9	10	11	12	13	14	15
16	17	18	19	20	21	22
23	24	25	26	27	28	29
30						

«El día que descubres que tu actitud determina el 90% de tus resultados, dejas atrás la negatividad, la queja y el victimismo».

César Piqueras

						1
2	3	4	5	6	7	8
9	10	11	12	13	14	15
16	17	18	19	20	21	22
23	24	25	26	27	28	

«Una sociedad que priorice la igualdad sobre la libertad no obtendrá ninguna de las dos cosas. Una sociedad que priorice la libertad sobre la igualdad obtendrá un alto grado de ambas».

Milton Friedman

«Si no puedes volar, corre. Si no puedes correr, camina. Si no puedes caminar, arrástrate. Pero hagas lo que hagas, sigue adelante».

Martin Luther King Jr.

						1
2	3	4	5	6	7	8
9	10	11	12	13	14	15
16	17	18	19	20	21	22
23	24	25	26	27	28	

«El remedio al infortunio es la paciencia».

						1
2	3	4	5	6	7	**8**
9	10	11	12	13	14	**15**
16	17	18	19	20	21	**22**
23	24	25	26	27	28	**29**
30						

«El bienestar es la suma de tus hábitos, tus pensamientos y tu descanso».

						1
2	3	4	5	6	7	8
9	10	11	12	13	14	15
16	17	18	19	20	21	22
23	24	25	26	27	28	

«Nuestra vida está compuesta en gran parte por sueños.
Hay que encaminarlos a la acción».

Anaïs Nin

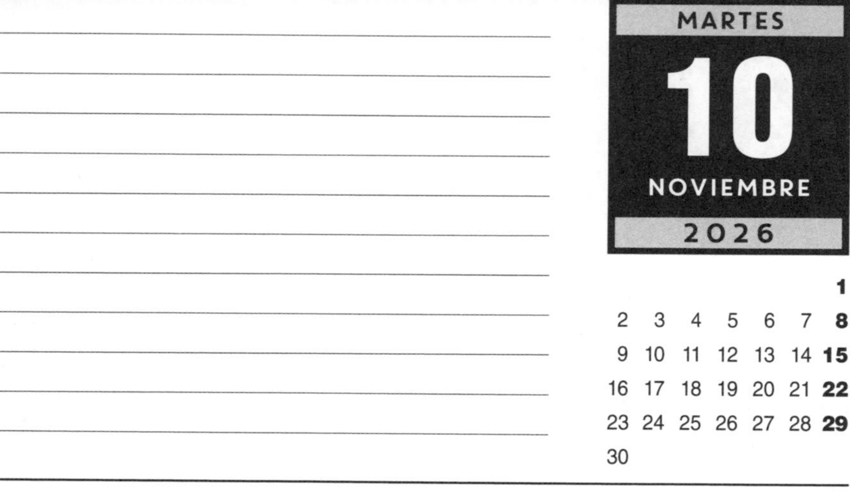

«El hombre que busca la verdad debe estar dispuesto
a enfrentarse a sus propios errores».

						1
2	3	4	5	6	7	8
9	10	11	12	13	14	15
16	17	18	19	20	21	22
23	24	25	26	27	28	29
30	31					

«Nunca te rindas. Las grandes cosas llevan tiempo».

						1
2	3	4	5	6	7	**8**
9	10	11	12	13	14	**15**
16	17	18	19	20	21	**22**
23	24	25	26	27	28	**29**
30						

«El arte del liderazgo consiste en decir no, no sí.
Es muy fácil decir sí».

Tony Blair

						1
2	3	4	5	6	7	**8**
9	10	11	12	13	14	**15**
16	17	18	19	20	21	**22**
23	24	25	26	27	28	**29**
30	31					

«Tu mentalidad es el primero paso hacia la evolución».

Albert Riba

						1
2	3	4	5	6	7	**8**
9	10	11	12	13	14	**15**
16	17	18	19	20	21	**22**
23	24	25	26	27	28	**29**
30						

«No es que tengamos poco tiempo,
sino que perdemos mucho».

Séneca

«Si no puedes describir lo que estás haciendo como un proceso, es que no sabes lo que estás haciendo».

Edwards Deming

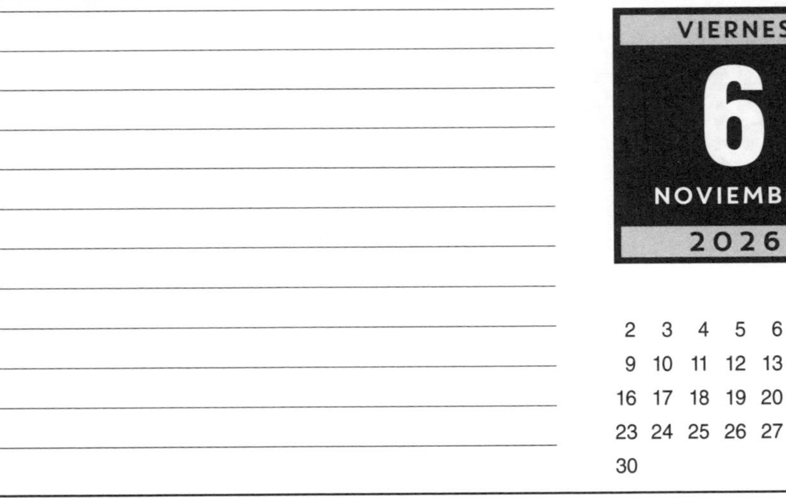

VIERNES

6

NOVIEMBRE

2026

						1
2	3	4	5	6	7	**8**
9	10	11	12	13	14	**15**
16	17	18	19	20	21	**22**
23	24	25	26	27	28	**29**
30						

«Tu cuerpo escucha todo lo que tu mente dice. Háblate bonito».

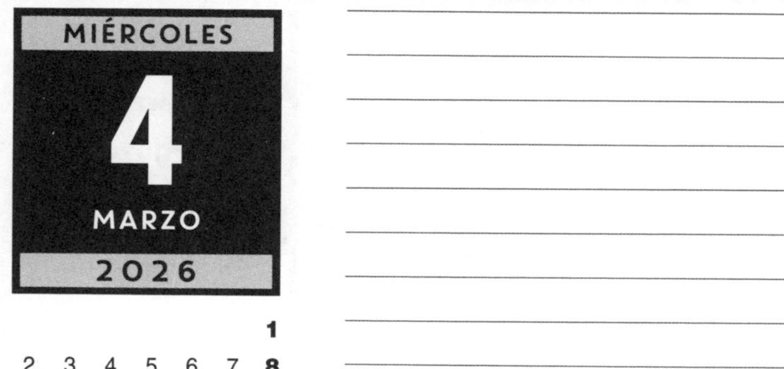

1
2 3 4 5 6 7 8
9 10 11 12 13 14 15
16 17 18 19 20 21 22
23 24 25 26 27 28 29
30 31

«La mayor gloria no está en nunca caer, sino en levantarnos
cada vez que caemos».

Confucio

«Hoy la libertad se llama 'optimización'».

Byung-Chul Han

						1
2	3	4	5	6	7	**8**
9	10	11	12	13	14	**15**
16	17	18	19	20	21	**22**
23	24	25	26	27	28	**29**
30	31					

«Si nadie hubiera probado nunca cosas tontas, nunca habríamos encontrado soluciones inteligentes».

Ludwig Wittgenstein

						1
2	3	4	5	6	7	**8**
9	10	11	12	13	14	**15**
16	17	18	19	20	21	**22**
23	24	25	26	27	28	**29**
30						

«Un campeón tiene miedo de perder. Los demás tienen miedo de ganar».

Serena Williams

						1
2	3	4	5	6	7	8
9	10	11	12	13	14	15
16	17	18	19	20	21	22
23	24	25	26	27	28	29
30	31					

«Solo aquellos que se atreven a tener grandes fracasos terminan consiguiendo grandes logros».

Robert F. Kennedy

«Las palabras son como los árboles: a veces hay que dejarlas
crecer en silencio antes de que su fruto sea saboreado».

						1
2	3	4	5	6	7	**8**
9	10	11	12	13	14	**15**
16	17	18	19	20	21	**22**
23	24	25	26	27	28	**29**
30	31					

«De todo lo que he hecho, lo más vital es coordinar los talentos de aquellos que trabajan para mí y enseñarles cuál es la meta».

Walt Disney

						1
2	3	4	5	6	7	**8**
9	10	11	12	13	14	**15**
16	17	18	19	20	21	**22**
23	24	25	26	27	28	**29**
30						

«Ocurre magia verdaderamente en nuestras vidas cuando conectamos mente, cuerpo y corazón».

César Piqueras

9

MARZO

2026

						1
2	3	4	5	6	7	**8**
9	10	11	12	13	14	**15**
16	17	18	19	20	21	**22**
23	24	25	26	27	28	**29**
30	31					

«Siempre es demasiado pronto para darse por vencido».

Norman Vincent Peale

						1
2	3	4	5	6	7	**8**
9	10	11	12	13	14	**15**
16	17	18	19	20	21	**22**
23	24	25	26	27	28	**29**
30						

«No son las cosas las que nos perturban,
sino nuestra opinión sobre ellas».

Epicteto

						1
2	3	4	5	6	7	**8**
9	10	11	12	13	14	**15**
16	17	18	19	20	21	**22**
23	24	25	26	27	28	**29**
30	31					

«El liderazgo es el arte de conseguir que alguien haga algo que tú quieres, porque él quiere hacerlo».

Dwight Eisenhower

VIERNES

30

OCTUBRE

2026

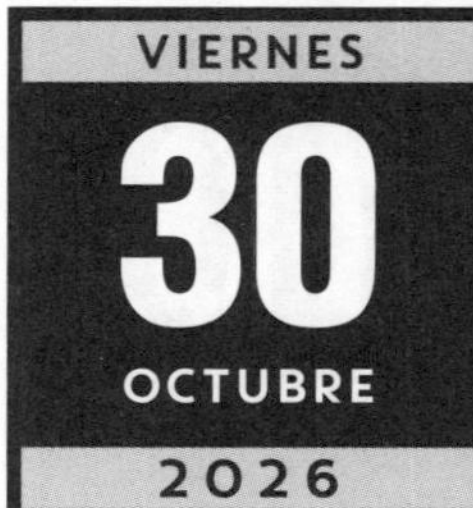

			1	2	3	**4**
5	6	7	8	9	10	**11**
12	13	14	15	16	17	**18**
19	20	21	22	23	24	**25**
26	27	28	29	30	31	

«El aburrimiento es la chispa de la creatividad...
si la dejas prender fuego».

«La suerte del genio es un 1% de inspiración y un 99% de transpiración».

Thomas Edison

«Después de la lluvia, la tierra se endurece».

Proverbio japonés

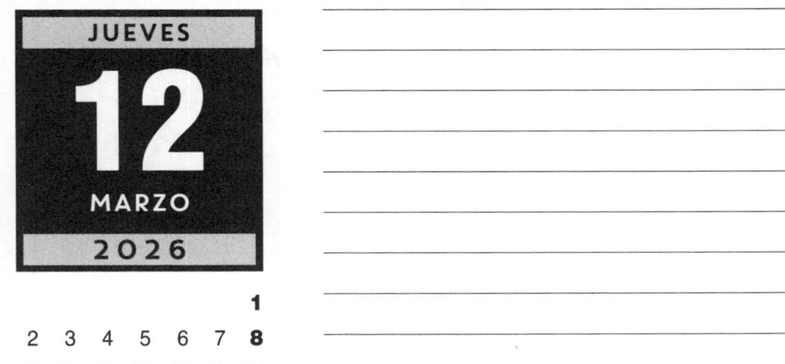

«Hay cuatro cosas que ponen a las personas en Acción: Interés, Amor, Miedo y Fe».

Napoleón Bonaparte

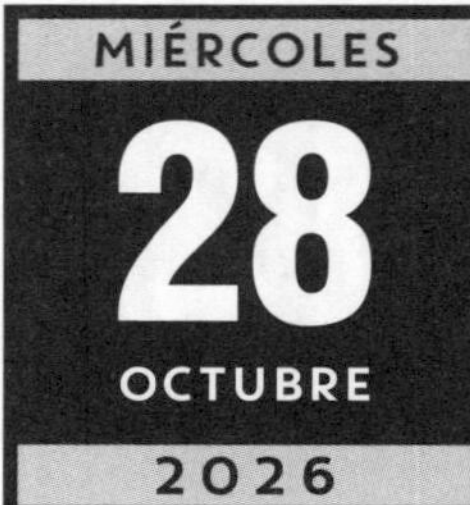

MIÉRCOLES

28

OCTUBRE

2026

			1	2	3	**4**
5	6	7	8	9	10	**11**
12	13	14	15	16	17	**18**
19	20	21	22	23	24	**25**
26	27	28	29	30	31	

«No esperes oportunidades, créalas».

						1
2	3	4	5	6	7	8
9	10	11	12	13	14	15
16	17	18	19	20	21	22
23	24	25	26	27	28	29
30	31					

«La economía debe ser útil para mejorar la vida de las personas, no solo para hacer crecer indicadores».

Oriol Amat

MARTES

27

OCTUBRE

2026

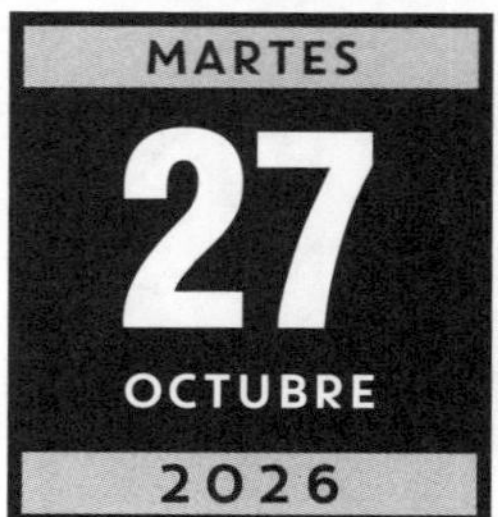

			1	2	3	**4**
5	6	7	8	9	10	**11**
12	13	14	15	16	17	**18**
19	20	21	22	23	24	**25**
26	27	28	29	30	31	

«Las dificultades a menudo preparan a las personas comunes para un destino extraordinario».

C. S. Lewis

						1
2	3	4	5	6	7	8
9	10	11	12	13	14	15
16	17	18	19	20	21	22
23	24	25	26	27	28	29
30	31					

«La constancia es la virtud por la que todas las demás dan su fruto».

Arturo Graf

LUNES

26

OCTUBRE

2026

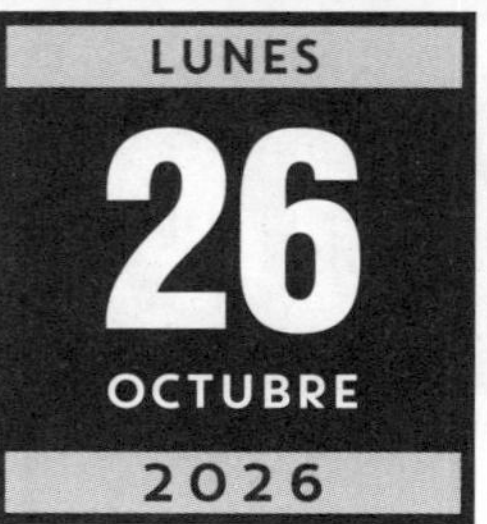

			1	2	3	**4**
5	6	7	8	9	10	**11**
12	13	14	15	16	17	**18**
19	20	21	22	23	24	**25**
26	27	28	29	30	31	

«Las empresas sin propósito son como las nuevas fósiles: pronto dejarán de tener lugar en el mundo».

Ángel Bonet

						1
2	3	4	5	6	7	8
9	10	11	12	13	14	15
16	17	18	19	20	21	22
23	24	25	26	27	28	29
30	31					

«Somos todos tan limitados que creemos siempre tener razón».

Johann Wolfgang Goethe

«El perdón tiene un sabor dulce que no tiene la venganza».

					1	2	3	**4**
5	6	7	8	9	10	**11**
12	13	14	15	16	17	**18**
19	20	21	22	23	24	**25**
26	27	28	29	30	31

«No progreses mejorando lo que ya está hecho, sino esforzándote para conseguir lo que todavía queda por hacer».

Khalil Gibran

VIERNES

23

OCTUBRE

2026

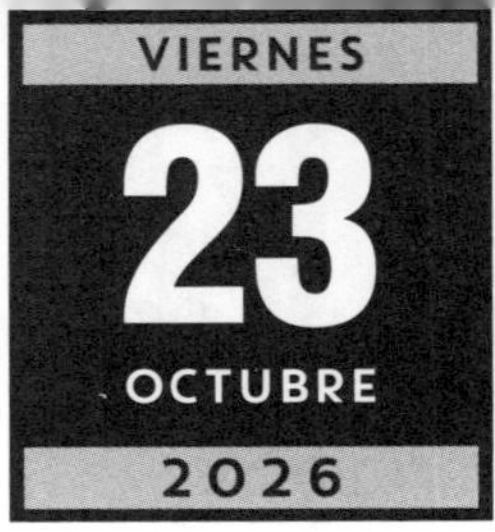

			1	2	3	**4**
5	6	7	8	9	10	**11**
12	13	14	15	16	17	**18**
19	20	21	22	23	24	**25**
26	27	28	29	30	31	

«Dentro de nosotros hay algo que no tiene nombre,
y eso es lo que somos».

Tomas Tranströmer

«El éxito no es la clave de la felicidad, la felicidad es la clave del éxito».

Albert Schweitzer

JUEVES

22

OCTUBRE

2026

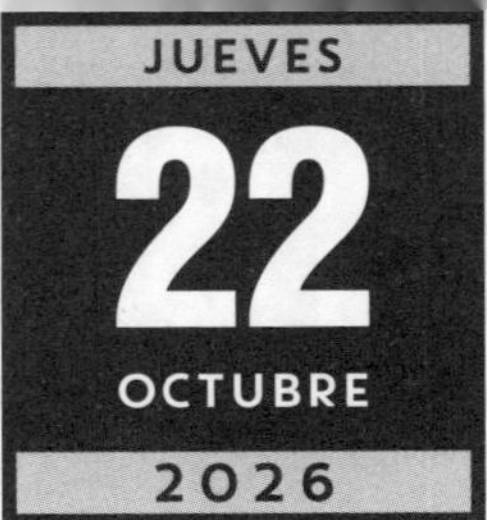

			1	2	3	**4**
5	6	7	8	9	10	**11**
12	13	14	15	16	17	**18**
19	20	21	22	23	24	**25**
26	27	28	29	30	31	

«Haz lo que puedas, con lo que tengas, donde estés».

Theodore Roosevelt

						1
2	3	4	5	6	7	8
9	10	11	12	13	14	15
16	17	18	19	20	21	22
23	24	25	26	27	28	29
30	31					

«Cambia lo que no puedas aceptar. Acepta lo que no puedas cambiar».

MIÉRCOLES

21

OCTUBRE

2026

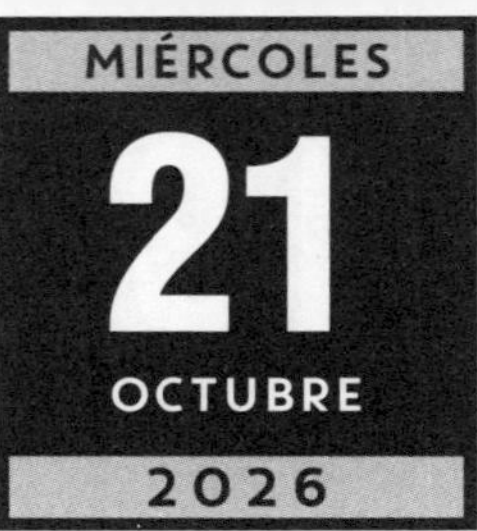

			1	2	3	**4**
5	6	7	8	9	10	**11**
12	13	14	15	16	17	**18**
19	20	21	22	23	24	**25**
26	27	28	29	30	31	

«El liderazgo comienza en uno mismo. Si no puedes liderarte a ti mismo, ¿cómo liderarás a otros?».

						1
2	3	4	5	6	7	**8**
9	10	11	12	13	14	**15**
16	17	18	19	20	21	**22**
23	24	25	26	27	28	**29**
30	31					

«La única manera de hacer un gran trabajo es amar lo que haces».

Steve Jobs

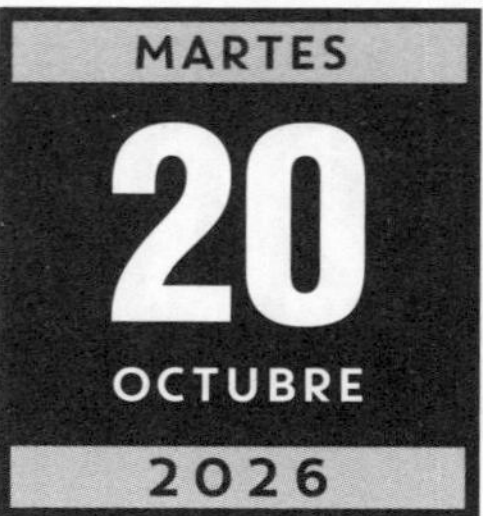

MARTES

20

OCTUBRE

2026

			1	2	3	**4**
5	6	7	8	9	10	**11**
12	13	14	15	16	17	**18**
19	20	21	22	23	24	**25**
26	27	28	29	30	31	

«Para ser humilde se necesita grandeza».

Ernesto Sábato

						1
2	3	4	5	6	7	**8**
9	10	11	12	13	14	**15**
16	17	18	19	20	21	**22**
23	24	25	26	27	28	**29**
30	31					

«Cada palabra tiene consecuencias, pero cada silencio también».

Jean-Paul Sartre

					1	2	3	**4**
5	6	7	8	9	10	**11**
12	13	14	15	16	17	**18**
19	20	21	22	23	24	**25**
26	27	28	29	30	31

«Si siempre haces lo que siempre hiciste, siempre obtendrás
lo que siempre obtuviste».

Paul Sloane

						1
2	3	4	5	6	7	**8**
9	10	11	12	13	14	**15**
16	17	18	19	20	21	**22**
23	24	25	26	27	28	**29**
30	31					

«Miles de años para la confortabilidad de la población y en décadas se desmoronan los avances. Es necesario repensar el modelo de crecimiento económico sin perder las conquistas».

Josep-Francesc Valls

					1	2	3	**4**
5	6	7	8	9	10	**11**
12	13	14	15	16	17	**18**
19	20	21	22	23	24	**25**
26	27	28	29	30	31	

«La silla de un corcel es un trono exaltado;
los mejores compañeros son solo los libros».

Al-Mutanabbi

						1
2	3	4	5	6	7	**8**
9	10	11	12	13	14	**15**
16	17	18	19	20	21	**22**
23	24	25	26	27	28	**29**
30	31					

«La verdadera fuerza no radica en la destrucción, sino en la construcción. Construye puentes en lugar de muros».

Miyamoto Musashi

VIERNES

16

OCTUBRE

2026

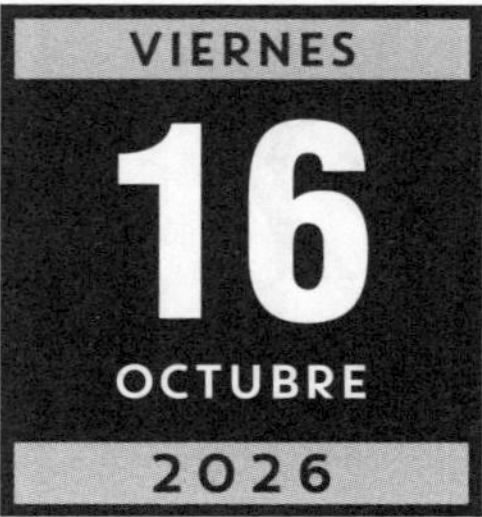

			1	2	3	**4**
5	6	7	8	9	10	**11**
12	13	14	15	16	17	**18**
19	20	21	22	23	24	**25**
26	27	28	29	30	31	

«Lo que caracteriza a un sabio es su capacidad de elección».

						1
2	3	4	5	6	7	8
9	10	11	12	13	14	15
16	17	18	19	20	21	22
23	24	25	26	27	28	29
30	31					

«La mucha luz, al igual que la mucha sombra, no deja ver».

Octavio Paz

JUEVES

15

OCTUBRE

2026

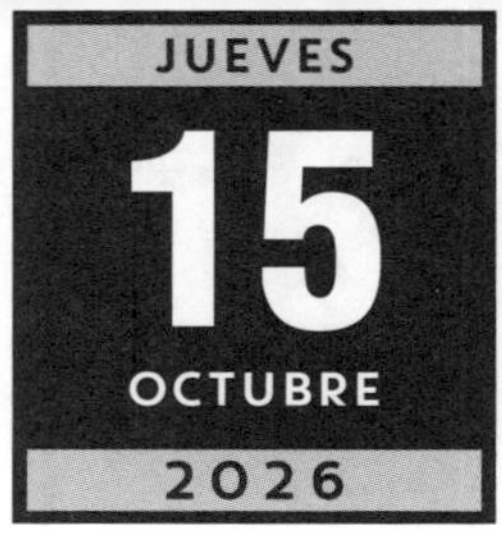

			1	2	3	**4**
5	6	7	8	9	10	**11**
12	13	14	15	16	17	**18**
19	20	21	22	23	24	**25**
26	27	28	29	30	31	

«La música puede cambiar al mundo, porque puede cambiar a las personas».

Bruce Springsteen

						1
2	3	4	5	6	7	**8**
9	10	11	12	13	14	**15**
16	17	18	19	20	21	**22**
23	24	25	26	27	28	**29**
30	31					

«Los líderes se enfocan en las oportunidades, no en los obstáculos».

John C. Maxwell

MIÉRCOLES

14

OCTUBRE

2026

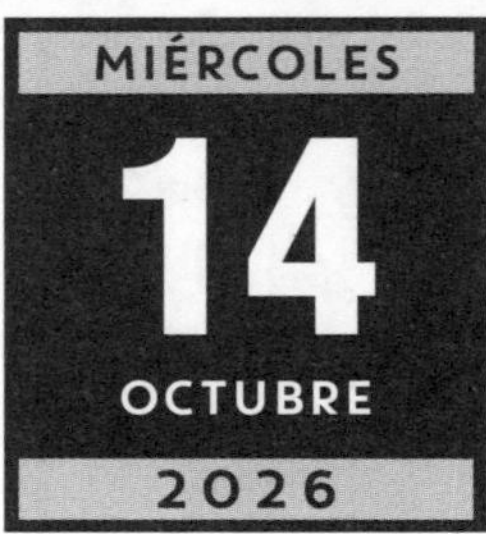

			1	2	3	**4**
5	6	7	8	9	10	**11**
12	13	14	15	16	17	**18**
19	20	21	22	23	24	**25**
26	27	28	29	30	31	

«El éxito es la suma de pequeños esfuerzos repetidos día tras día».

Robert Collier

						1
2	3	4	5	6	7	8
9	10	11	12	13	14	15
16	17	18	19	20	21	22
23	24	25	26	27	28	29
30	31					

«Para salir del pozo lo primero que has de hacer es dejar de cavar».

Proverbio chino

MARTES

13

OCTUBRE

2026

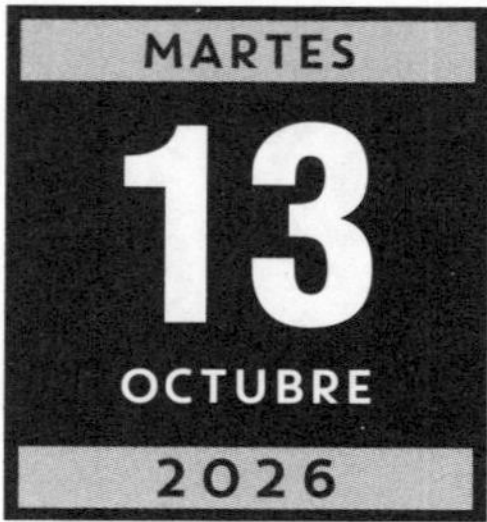

			1	2	3	**4**
5	6	7	8	9	10	**11**
12	13	14	15	16	17	**18**
19	20	21	22	23	24	**25**
26	27	28	29	30	31	

«Tu gran oportunidad se puede encontrar justo donde estás ahora mismo».

Napoleón Hill

						1
2	3	4	5	6	7	**8**
9	10	11	12	13	14	**15**
16	17	18	19	20	21	**22**
23	24	25	26	27	28	**29**
30	31					

«Mi padre me decía: Hay dos tipos de personas: las que trabajan y las que buscan el mérito. Trata de estar en el primer grupo. Hay menos competencia».

Indira Gandhi

LUNES

12

OCTUBRE

2026

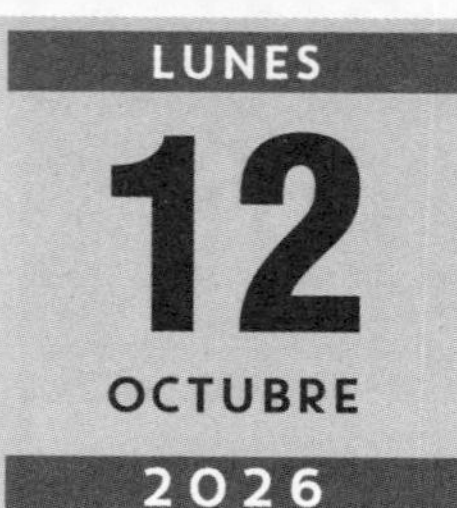

			1	2	3	**4**
5	6	7	8	9	10	**11**
12	13	14	15	16	17	**18**
19	20	21	22	23	24	**25**
26	27	28	29	30	31	

«La verdadera mejora continua surge cuando cada miembro de la organización se convierte en un solucionador de problemas».

Néstor Gavilán Ferrer

						1
2	3	4	5	6	7	**8**
9	10	11	12	13	14	**15**
16	17	18	19	20	21	**22**
23	24	25	26	27	28	**29**
30	31					

«Dirigir es hablarle a la cabeza de la gente. Liderar es hablarle al corazón».

Pablo Gutiérrez

			1	2	3	**4**
5	6	7	8	9	10	**11**
12	13	14	15	16	17	**18**
19	20	21	22	23	24	**25**
26	27	28	29	30	31	

«La belleza de la vida se encuentra en los momentos simples, aquellos que se capturan con el alma».

Abu Hayyan al-Tawhidi

						1
2	3	4	5	6	7	**8**
9	10	11	12	13	14	**15**
16	17	18	19	20	21	**22**
23	24	25	26	27	28	**29**
30	31					

«El miedo es la más grande discapacidad de todas».

Nick Vujicic

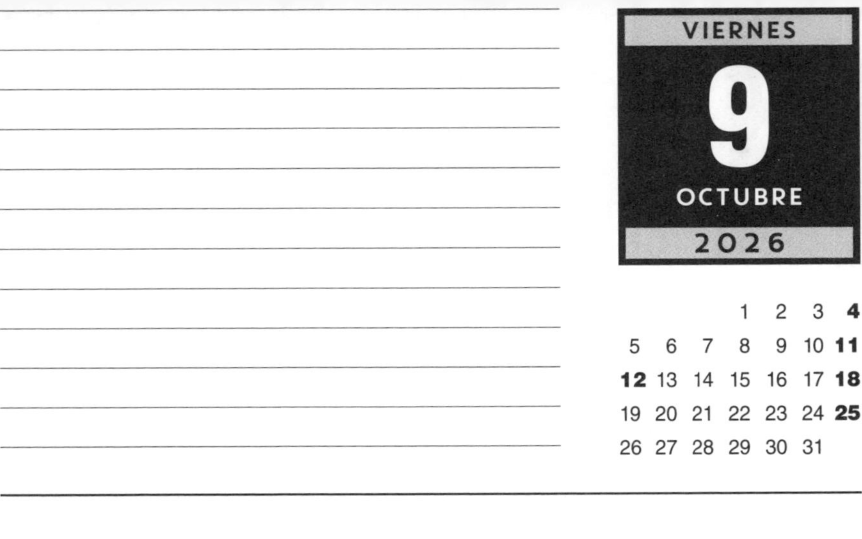

«Los sueños de una nación se hacen realidad cuando sus líderes inspiran confianza y compromiso».

		1	2	3	4	5
6	7	8	9	10	11	12
13	14	15	16	17	18	19
20	21	22	23	24	25	26
27	28	29	30			

«Nunca encontrarás un arco iris si estás mirando abajo».

Charles Chaplin

«La confianza es como un espejo. Una vez roto, se puede arreglar,
pero aún se pueden ver las grietas».

			1	2	**3**	4	**5**
6	7	8	9	10	11	**12**
13	14	15	16	17	18	**19**
20	21	22	23	24	25	**26**
27	28	29	30

«Si haces un favor, nunca lo recuerdes; si lo recibes, nunca lo olvides».

Quilón de Lacedemonia

		1	2	3	**4**
5	6	7	8	9	10	**11**
12	13	14	15	16	17	**18**
19	20	21	22	23	24	**25**
26	27	28	29	30	31	

«El liderazgo es una acción, no una posición».

Donald H. McGannon

		1	2	**3**	4	**5**
6	7	8	9	10	11	**12**
13	14	15	16	17	18	**19**
20	21	22	23	24	25	**26**
27	28	29	30			

«En esta vida hay que ser solución, no problema».

Agustín Rodríguez Sahagún

MARTES

6

OCTUBRE

2026

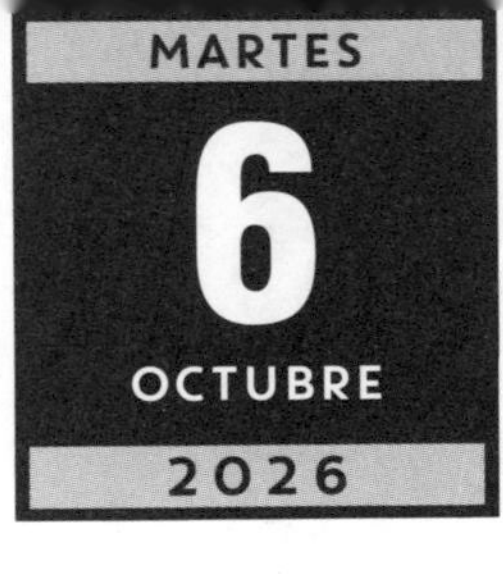

			1	2	3	**4**
5	6	7	8	9	10	**11**
12	13	14	15	16	17	**18**
19	20	21	22	23	24	**25**
26	27	28	29	30	31	

«Un banco es un lugar en el que te prestan dinero si demuestras que no lo necesitas».

B. Hope

1	2	**3**	4	**5**
6	7	8	9	10	11	**12**
13	14	15	16	17	18	**19**
20	21	22	23	24	25	**26**
27	28	29	30

«Un reto que no te hace salir de la zona de confort no es un reto, es un simple objetivo».

Carlos Alonso

«Los líderes más efectivos son los que se han dominado
a sí mismos».

Behnam Tabrizi

«La ansiedad es vivir en un futuro que aún no existe. Si no aprendes a estar en paz ahora, la búsqueda solo te llevará a nuevas preocupaciones».

Vicente Ferrio

«Las verdaderas batallas se libran en el interior».

Sócrates

						4
				1	2	3
5	6	7	8	9	10	11
12	13	14	15	16	17	18
19	20	21	22	23	24	25
26	27	28	29	30	31	

		1	2	**3**	4	**5**
6	7	8	9	10	11	**12**
13	14	15	16	17	18	**19**
20	21	22	23	24	25	**26**
27	28	29	30			

«La mayor gloria no es nunca caer, sino levantarse siempre».

Nelson Mandela

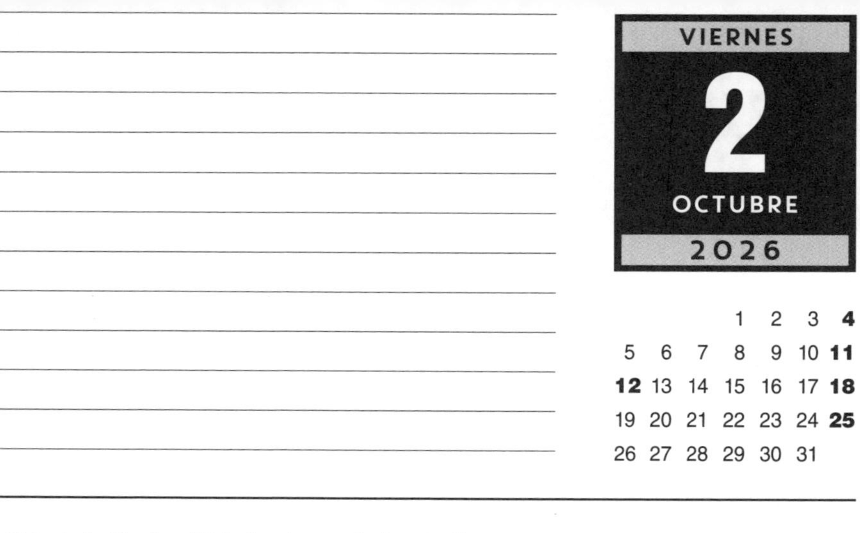

«Habrá obstáculos. Habrá quienes duden de ti.
Habrá errores. Pero con trabajo duro, no hay límites».

Michael Phelps

		1	2	**3**	4	**5**
6	7	8	9	10	11	**12**
13	14	15	16	17	18	**19**
20	21	22	23	24	25	**26**
27	28	29	30			

«El requisito del éxito es la prontitud en las decisiones».

Francis Bacon

«El liderazgo no se trata de ser el mejor, se trata de hacer mejor a los demás».

Robin Sharma

9

ABRIL

2026

	1	2	**3**	4	**5**	
6	7	8	9	10	11	**12**
13	14	15	16	17	18	**19**
20	21	22	23	24	25	**26**
27	28	29	30			

«El enemigo del hombre es su necesad; su amigo, su inteligencia».

MIÉRCOLES

30

SEPTIEMBRE

2026

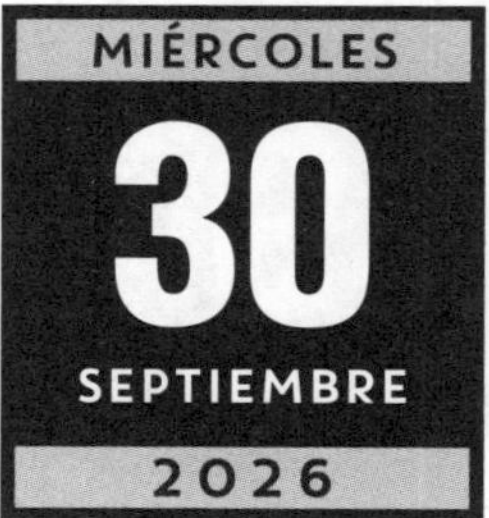

	1	2	3	4	5	**6**
7	8	9	10	11	12	**13**
14	15	16	17	18	19	**20**
21	22	23	24	25	26	**27**
28	29	30				

«Todas las batallas en la vida sirven para enseñarnos algo, inclusive aquellas que perdemos».

Paulo Coelho

			1	2	**3**	4	**5**
6	7	8	9	10	11	**12**
13	14	15	16	17	18	**19**
20	21	22	23	24	25	**26**
27	28	29	30

«El fracaso es solo la oportunidad de comenzar de nuevo
con más inteligencia».

Henry Ford

MARTES

29

SEPTIEMBRE

2026

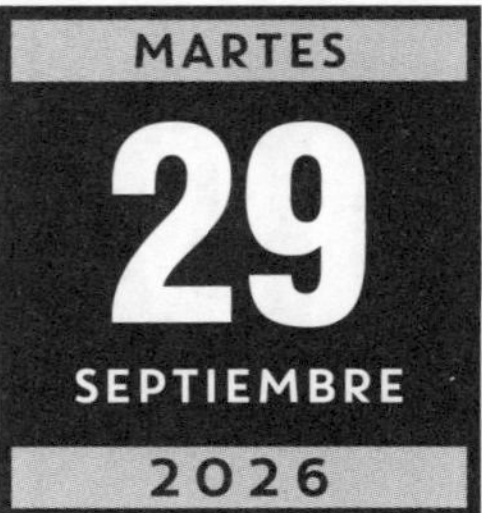

	1	2	3	4	5	**6**
7	8	9	10	11	12	**13**
14	15	16	17	18	19	**20**
21	22	23	24	25	26	**27**
28	29	30				

«Cuando no se piensa lo que se dice es cuando se dice lo que se piensa».

Jacinto Benavente

		1	2	**3**	4	**5**
6	7	8	9	10	11	**12**
13	14	15	16	17	18	**19**
20	21	22	23	24	25	**26**
27	28	29	30			

«El dolor es temporal, la satisfacción es para siempre».

	1	2	3	4	5	**6**
7	8	9	10	11	12	**13**
14	15	16	17	18	19	**20**
21	22	23	24	25	26	**27**
28	29	30				

«El mérito no es hacer lo que te gusta, el mérito es atreverte a hacerlo».

Albert Riba

	1	2	**3**	4	**5**	
6	7	8	9	10	11	**12**
13	14	15	16	17	18	**19**
20	21	22	23	24	25	**26**
27	28	29	30			

«No necesitas ser un genio para invertir bien. Solo hacer lo que la mayoría no quiere: ser paciente y disciplinado».

Joel Greenblatt

«Integridad es hacer lo correcto, incluso cuando nadie está mirando».

C. S. Lewis

	1	2	3	4	5	**6**
7	8	9	10	11	12	**13**
14	15	16	17	18	19	**20**
21	22	23	24	25	26	**27**
28	29	30				

		1	2	**3**	4	**5**
6	7	8	9	10	11	**12**
13	14	15	16	17	18	**19**
20	21	22	23	24	25	**26**
27	28	29	30			

«Un buen emprendedor minimiza riesgos: por muy enamorado que esté de su idea, no se lanza si no hay mercado para su producto».

Shahid Ansari

VIERNES

25

SEPTIEMBRE

2026

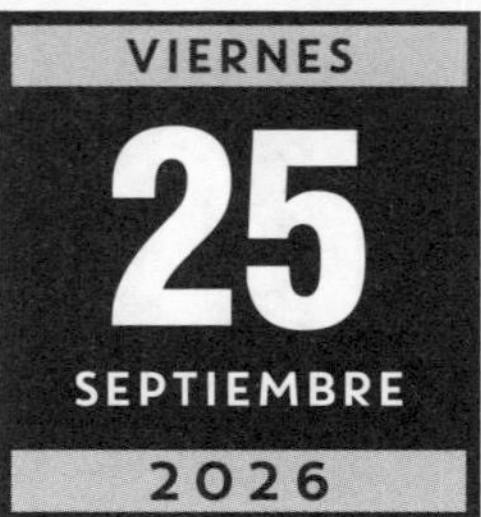

	1	2	3	4	5	**6**
7	8	9	10	11	12	**13**
14	15	16	17	18	19	**20**
21	22	23	24	25	26	**27**
28	29	30				

«Entrené 4 años para correr 9 segundos. Mucha gente no ve el esfuerzo detrás del éxito».

Usain Bolt

		1	2	**3**	4	**5**
6	7	8	9	10	11	**12**
13	14	15	16	17	18	**19**
20	21	22	23	24	25	**26**
27	28	29	30			

«Liderar es inspirar a otros a soñar más, aprender más, hacer más y convertirse en más».

John Quincy Adams

JUEVES

24

SEPTIEMBRE

2026

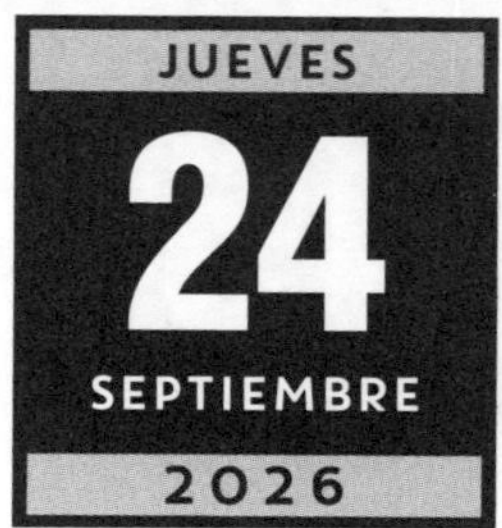

	1	2	3	4	5	**6**
7	8	9	10	11	12	**13**
14	15	16	17	18	19	**20**
21	22	23	24	25	26	**27**
28	29	30				

«Las grandes ideas no sólo necesitan alas, sino también tren de aterrizaje».

The New York Times

	1	2	**3**	4	**5**
6	7	8	9	10	11	**12**
13	14	15	16	17	18	**19**
20	21	22	23	24	25	**26**
27	28	29	30

«Para que todos los demás te respeten, antes debes sabes
cuánto vales».

MIÉRCOLES

23

SEPTIEMBRE

2026

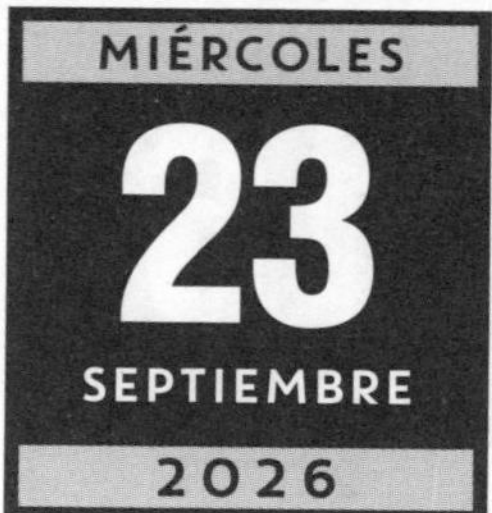

	1	2	3	4	5	**6**
7	8	9	10	11	12	**13**
14	15	16	17	18	19	**20**
21	22	23	24	25	26	**27**
28	29	30				

«El pesimismo es cuestión de inteligencia; y el optimismo, de voluntad».

Antonio Gramsci

			1	2	**3**	4	**5**
6	7	8	9	10	11	**12**	
13	14	15	16	17	18	**19**	
20	21	22	23	24	25	**26**	
27	28	29	30				

«No te vendas. Eres lo único que tienes».

Janis Joplin

«Si seguimos haciendo lo que estamos haciendo,
seguiremos consiguiendo lo que estamos consiguiendo».

Stephen Covey

		1	2	**3**	4	**5**
6	7	8	9	10	11	**12**
13	14	15	16	17	18	**19**
20	21	22	23	24	25	**26**
27	28	29	30			

«Las montañas son magníficas, pero es la modestia del campo la que nos alimenta».

Valeriu Butulescu

	1	2	3	4	5	**6**
7	8	9	10	11	12	**13**
14	15	16	17	18	19	**20**
21	22	23	24	25	26	**27**
28	29	30				

«La cultura se come a la estrategia para el desayuno».

Peter F. Drucker

		1	2	**3**	4	**5**
6	7	8	9	10	11	**12**
13	14	15	16	17	18	**19**
20	21	22	23	24	25	**26**
27	28	29	30			

«La tarea del maestro es aprender a enseñar para luego enseñar a aprender».

Marcos Álvarez

	1	2	3	4	5	**6**
7	8	9	10	11	12	**13**
14	15	16	17	18	19	**20**
21	22	23	24	25	26	**27**
28	29	30				

«El ojo solo ve lo que la mente está preparada para comprender».

Robertson Davies

		1	2	**3**	4	**5**
6	7	8	9	10	11	**12**
13	14	15	16	17	18	**19**
20	21	22	23	24	25	**26**
27	28	29	30			

«Un miligramo de actitud equivale a un kilo de promesas».

Mae West

VIERNES

18

SEPTIEMBRE

2026

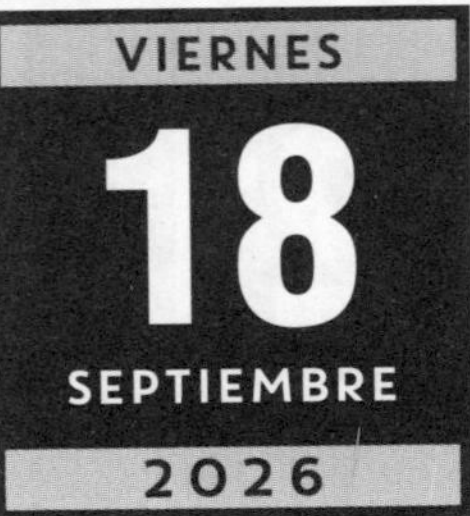

	1	2	3	4	5	**6**
7	8	9	10	11	12	**13**
14	15	16	17	18	19	**20**
21	22	23	24	25	26	**27**
28	29	30				

«Alguien se sienta hoy a la sombra porque alguien plantó un árbol hace mucho tiempo».

Warren Buffett

		1	2	**3**	4	**5**
6	7	8	9	10	11	**12**
13	14	15	16	17	18	**19**
20	21	22	23	24	25	**26**
27	28	29	30			

«El *cash* es como el oxígeno, no lo notas hasta que falta y entonces es lo único que notas».

Warren Buffett

JUEVES

17

SEPTIEMBRE

2026

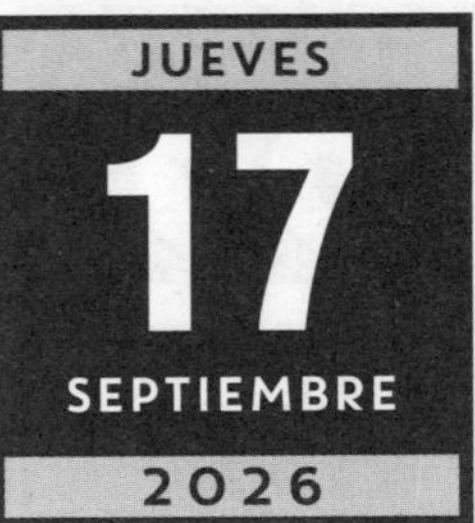

	1	2	3	4	5	**6**
7	8	9	10	11	12	**13**
14	15	16	17	18	19	**20**
21	22	23	24	25	26	**27**
28	29	30				

«El coaching consiste en un viaje, no en educación. Se trata más de la manera de hacer las cosas, y no de las que se hacen».

John Whitmore

		1	2	**3**	4	**5**
6	7	8	9	10	11	**12**
13	14	15	16	17	18	**19**
20	21	22	23	24	25	**26**
27	28	29	30			

«Un libro debe ser el hacha que rompa el mar helado dentro
de nosotros».

Franz Kafka

MIÉRCOLES

16

SEPTIEMBRE

2026

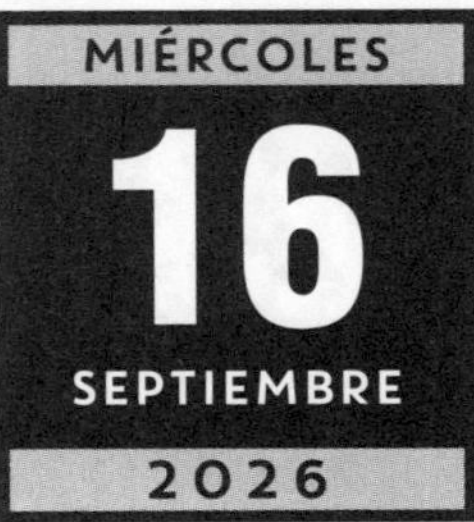

	1	2	3	4	5	**6**
7	8	9	10	11	12	**13**
14	15	16	17	18	19	**20**
21	22	23	24	25	26	**27**
28	29	30				

«El respeto al derecho ajeno es la paz».

Benito Juárez

		1	2	**3**	4	**5**
6	7	8	9	10	11	**12**
13	14	15	16	17	18	**19**
20	21	22	23	24	25	**26**
27	28	29	30			

«No hay nada que más nos vincule a nuestros puestos de trabajo que ser felices en ellos».

Salvador Torres

MARTES

15

SEPTIEMBRE

2026

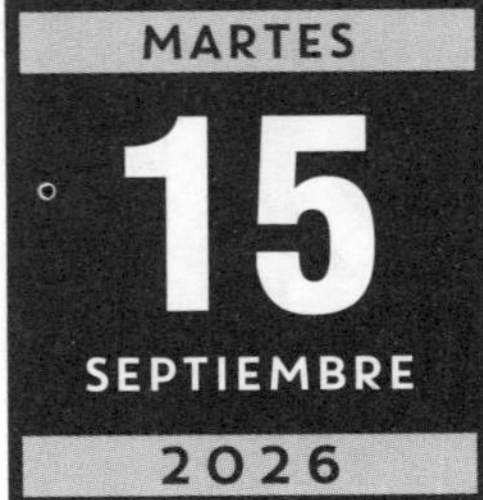

	1	2	3	4	5	**6**
7	8	9	10	11	12	**13**
14	15	16	17	18	19	**20**
21	22	23	24	25	26	**27**
28	29	30				

«No es el equipo con los mejores jugadores el que gana,
sino los jugadores con el mejor equipo».

Anón

	1	2	**3**	4	**5**	
6	7	8	9	10	11	**12**
13	14	15	16	17	18	**19**
20	21	22	23	24	25	**26**
27	28	29	30			

«Practica la gratitud. Ser agradecido te ayudará a valorar mejor todas las cosas que tienes».

1	2	3	4	5	**6**	
7	8	9	10	11	12	**13**
14	15	16	17	18	19	**20**
21	22	23	24	25	26	**27**
28	29	30				

«Cada operación es una oportunidad de aprendizaje, si estás dispuesto a escuchar».

Brett N. Steenbarger

		1	2	**3**	4	**5**
6	7	8	9	10	11	**12**
13	14	15	16	17	18	**19**
20	21	22	23	24	25	**26**
27	28	29	30			

Rehumanizar significa poner a la persona en el centro, también cuando hablamos de datos, algoritmos y pantallas.

Joana Barbany i Freixa

	1	2	3	4	5	**6**
7	8	9	10	11	12	**13**
14	15	16	17	18	19	**20**
21	22	23	24	25	26	**27**
28	29	30				

«Triunfan aquellos que saben cuándo luchar y cuándo no deben hacerlo».

Sun Tzu

		1	2	**3**	4	**5**
6	7	8	9	10	11	**12**
13	14	15	16	17	18	**19**
20	21	22	23	24	25	**26**
27	28	29	30			

«Recuerda: eres más valiente de lo que crees, más fuerte de lo que pareces y más inteligente de lo que piensas».

VIERNES

11

SEPTIEMBRE

2026

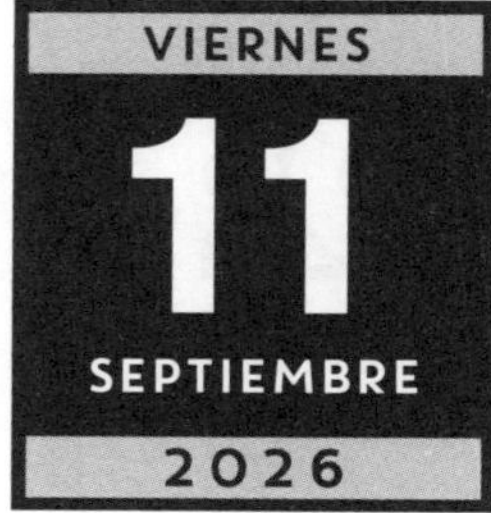

	1	2	3	4	5	**6**
7	8	9	10	11	12	**13**
14	15	16	17	18	19	**20**
21	22	23	24	25	26	**27**
28	29	30				

«Quien duda acaba el último».

Mae West

		1	2	**3**	4	**5**
6	7	8	9	10	11	**12**
13	14	15	16	17	18	**19**
20	21	22	23	24	25	**26**
27	28	29	30			

«El futuro no es un regalo, es una conquista».

Robert Kennedy

«Cuando el río suena, agua lleva».

		1	2	**3**	4	**5**
6	7	8	9	10	11	**12**
13	14	15	16	17	18	**19**
20	21	22	23	24	25	**26**
27	28	29	30			

«Es un principio indiscutible que, para saber mandar, primero hay que saber obedecer».

Aristóteles

	1	2	3	4	5	**6**
7	8	9	10	11	12	**13**
14	15	16	17	18	19	**20**
21	22	23	24	25	26	**27**
28	29	30				

«Estar en paz con todo el mundo no es muy difícil,
pero sí lo es estar en guerra siempre consigo mismo».

Andalih

			1	2	3
4	5	6	7	8	9	10
11	12	13	14	15	16	17
18	19	20	21	22	23	24
25	26	27	28	29	30	31

«La calidad nunca es un accidente. Es siempre el resultado
de un esfuerzo inteligente».

John Ruskin

	1	2	3	4	5	**6**
7	8	9	10	11	12	**13**
14	15	16	17	18	19	**20**
21	22	23	24	25	26	**27**
28	29	30				

«Podemos recuperar el terreno perdido. El tiempo perdido, no».

Napoleón Bonaparte

			1	2	3
4	5	6	7	8	9	10
11	12	13	14	15	16	17
18	19	20	21	22	23	24
25	26	27	28	29	30	31

«Una meta no siempre se hace para ser alcanzada;
a menudo sirve simplemente como objetivo».

Bruce Lee

	1	2	3	4	5	**6**
7	8	9	10	11	12	**13**
14	15	16	17	18	19	**20**
21	22	23	24	25	26	**27**
28	29	30				

«En tiempos de incertidumbre, la prudencia es buena consejera y la mejor inversión es el conocimiento compartido y la colaboración.»

Oriol Amat

			1	2	3
4	5	6	7	8	9	10
11	12	13	14	15	16	17
18	19	20	21	22	23	24
25	26	27	28	29	30	31

«No conozco las reglas de gramática. Si intentas persuadir a la gente, deberías usar su lenguaje».

David Ogilvy

«La sonrisa es el idioma de las personas inteligentes».

1	2	3	4	5	**6**
7	8	9	10	11	12	**13**
14	15	16	17	18	19	**20**
21	22	23	24	25	26	**27**
28	29	30				

			1	2	3
4	5	6	7	8	9	10
11	12	13	14	15	16	17
18	19	20	21	22	23	24
25	26	27	28	29	30	31

«Vale más fracasar honradamente que triunfar debido a un fraude».

Sófocles de Kolonos

VIERNES

4

SEPTIEMBRE

2026

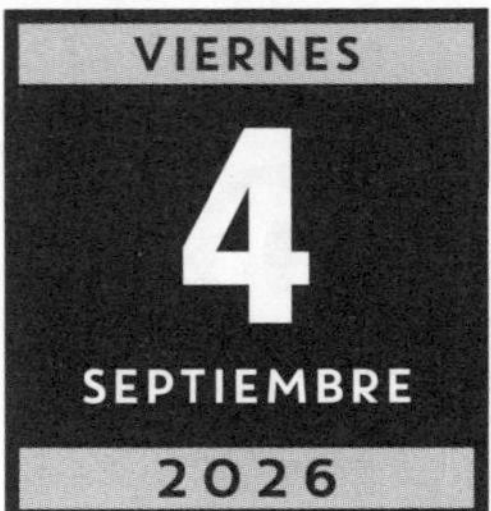

	1	2	3	4	5	**6**
7	8	9	10	11	12	**13**
14	15	16	17	18	19	**20**
21	22	23	24	25	26	**27**
28	29	30				

«Algunas veces hay que seguir un largo camino para llegar a uno mismo».

Hermann Hesse

			1	2	3
4	5	6	7	8	9	10
11	12	13	14	15	16	17
18	19	20	21	22	23	24
25	26	27	28	29	30	31

«El éxito no es la clave de la felicidad. La felicidad es la clave del éxito.
Si amas lo que haces, triunfarás».

Albert Schweitzer

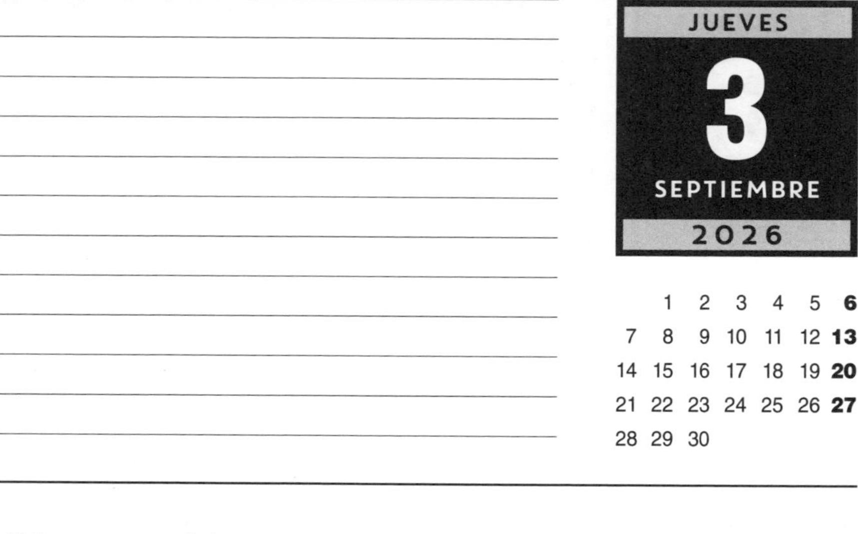

«El tiempo es una de las pocas cosas importantes que nos quedan».

Salvador Dalí

			1	2	3
4	5	6	7	8	9	10
11	12	13	14	15	16	17
18	19	20	21	22	23	24
25	26	27	28	29	30	31

«No pongas límites a tus sueños, ponle esfuerzo a tus sueños».

MIÉRCOLES

2

SEPTIEMBRE

2026

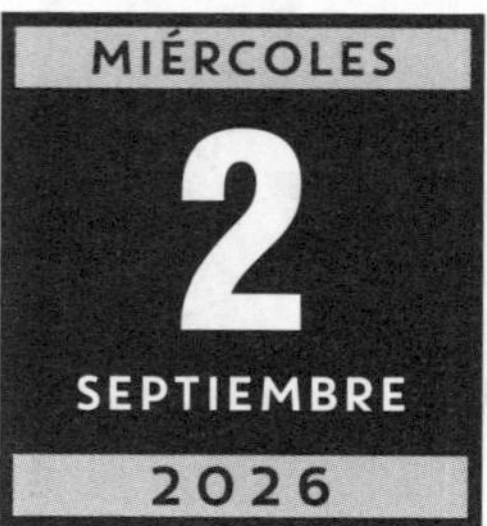

	1	2	3	4	5	**6**
7	8	9	10	11	12	**13**
14	15	16	17	18	19	**20**
21	22	23	24	25	26	**27**
28	29	30				

«He fallado una y otra vez en mi vida, y por eso he tenido éxito».

Michael Jordan

			1	2	3
4	5	6	7	8	9	10
11	12	13	14	15	16	17
18	19	20	21	22	23	24
25	26	27	28	29	30	31

«El éxito llega a aquellos que están demasiado ocupados como para estar buscándolo».

Henry D. Thoreau

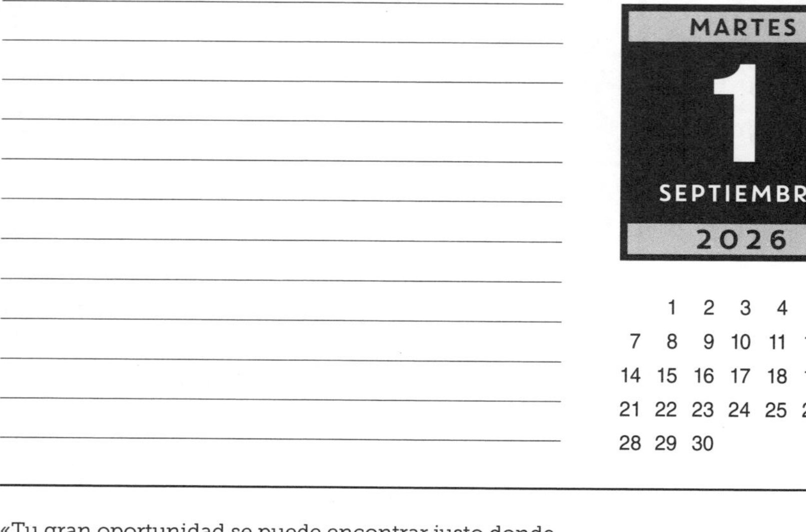

«Tu gran oportunidad se puede encontrar justo donde estás ahora mismo».

Napoleón Hill

			1	2	3
4	5	6	7	8	9	10
11	12	13	14	15	16	17
18	19	20	21	22	23	24
25	26	27	28	29	30	31

«El gran problema de la comunicación es que no escuchamos para comprender. Escuchamos para responder».

					1	**2**
3	4	5	6	7	8	**9**
10	11	12	13	14	**15**	**16**
17	18	19	20	21	22	**23**
24	25	26	27	28	29	**30**
31						

«La estrategia del océano azul no se trata de superar a los rivales, se trata de hacerlos irrelevantes».

W. Chan Kim y Renée Mauborgne

			1	2	3
4	5	6	7	8	9	10
11	12	13	14	15	16	17
18	19	20	21	22	23	24
25	26	27	28	29	30	31

«La persona que hace las mejores preguntas suele ser más valiosa que la que da las mejores respuestas».

Paul Sloane

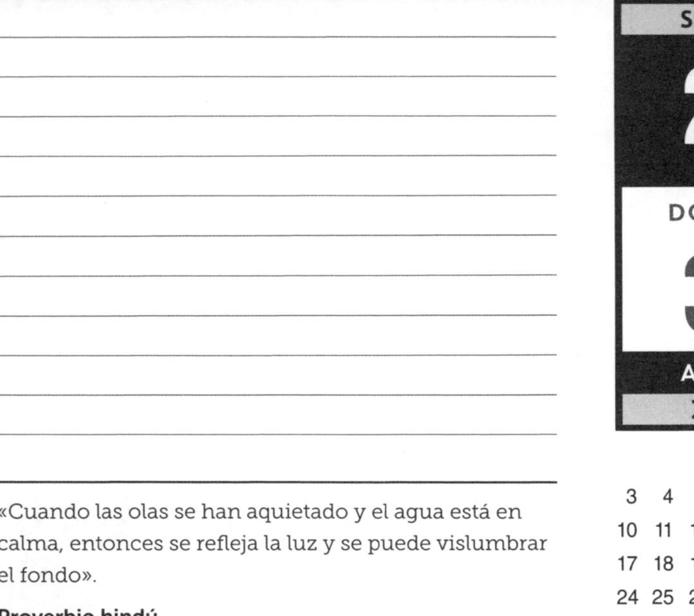

«Cuando las olas se han aquietado y el agua está en calma, entonces se refleja la luz y se puede vislumbrar el fondo».

Proverbio hindú

			1	2	3
4	5	6	7	8	9	10
11	12	13	14	15	16	17
18	19	20	21	22	23	24
25	26	27	28	29	30	31

«Solo aquellos que se arriesgan yendo lejos pueden encontrar lo lejos que pueden llegar».

T. S. Elliot

«Nunca sabes cuán fuerte eres, hasta que ser fuerte es tu única opción».

Bob Marley

			1	2	3
4	5	6	7	8	9	10
11	12	13	14	15	16	17
18	19	20	21	22	23	24
25	26	27	28	29	30	31

«El mayor error que puedes cometer en la vida es tener miedo continuamente de cometer un error».

Elbert Hubbard

«La verdad triunfa por sí misma, la mentira necesita
siempre complicidad».

				1	2	3
4	5	6	7	8	9	10
11	12	13	14	15	16	17
18	19	20	21	22	23	24
25	26	27	28	29	30	31

«Todo fracaso es el condimento que da sabor al éxito».

Truman Capote

«Para avanzar, debemos abrazar tanto nuestras tradiciones
como el conocimiento moderno».

			1	2	3
4	5	6	7	8	9	10
11	12	13	14	15	16	17
18	19	20	21	22	23	24
25	26	27	28	29	30	31

«El éxito es el 1% de inspiración y el 99% de transpiración».

Thomas Edison

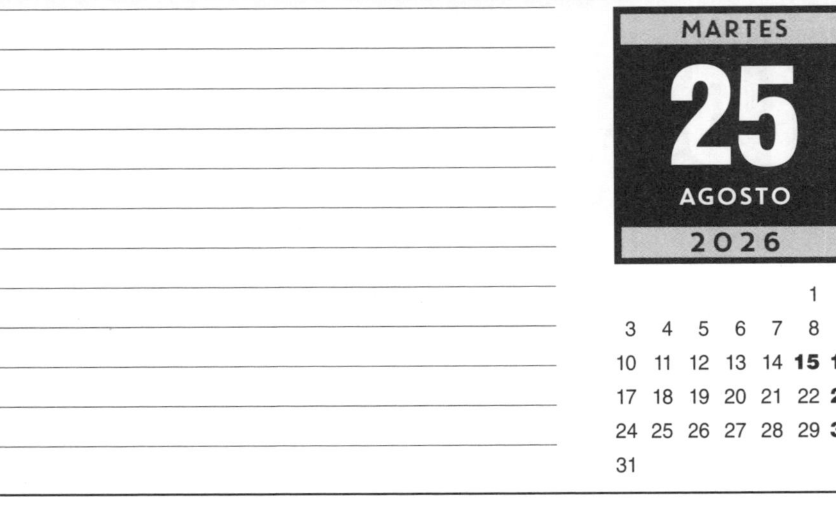

«Todo lo que se corrompe fermenta».

Joseph Joubert

			1	2	3
4	5	6	7	8	9	10
11	12	13	14	15	16	17
18	19	20	21	22	23	24
25	26	27	28	29	30	31

«Lo que cuenta no son las horas que pones en tu trabajo; es el trabajo que pones en tus horas».

Sam Ewing

					1	**2**
3	4	5	6	7	8	**9**
10	11	12	13	14	**15**	**16**
17	18	19	20	21	22	**23**
24	25	26	27	28	29	**30**
31						

«Las decisiones más importantes en tu vida son las que tomas inconscientemente cada día».

Karen Dillon

«Para alcanzar tus metas huye de tus miedos y persigue tus sueños».

Marcos Álvarez

«El futuro pertenece a aquellos que creen en la belleza de sus sueños».

Barack Obama

					1	**2**
3	4	5	6	7	8	**9**
10	11	12	13	14	**15**	**16**
17	18	19	20	21	22	**23**
24	25	26	27	28	29	**30**
31						

			1	2	3
4	5	6	7	8	9	10
11	12	13	14	15	16	17
18	19	20	21	22	23	24
25	26	27	28	29	30	31

«Convierte tu muro en un peldaño».

Rainer M. Rilke

«No existe gran talento sin gran voluntad».

Honoré de Balzac

			1	2	3
4	5	6	7	8	9	10
11	12	13	14	15	16	17
18	19	20	21	22	23	24
25	26	27	28	29	30	31

«La palabra convence, pero el ejemplo arrastra».

«El liderazgo es el arte de hacer que alguien haga algo
que tú quieres porque él quiere hacerlo».

Dwight D. Eisenhower

			1	2	3
4	5	6	7	8	9	10
11	12	13	14	15	16	17
18	19	20	21	22	23	24
25	26	27	28	29	30	31

«Cada día es una nueva oportunidad para cambiar tu vida».

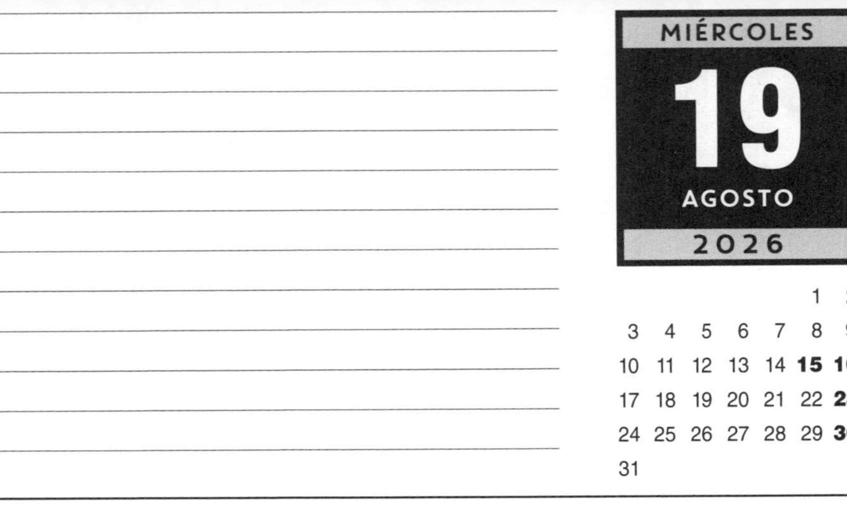

«El que aprende y aprende, y no practica lo que sabe,
es como el que ara y ara, y no siembra».

Platón

			1	2	3
4	5	6	7	8	9	10
11	12	13	14	15	16	17
18	19	20	21	22	23	24
25	26	27	28	29	30	31

«La vida es un negocio en el que no se obtiene una pérdida que no vaya acompañada de una ganancia».

Arturo Graf

MARTES

18

AGOSTO

2026

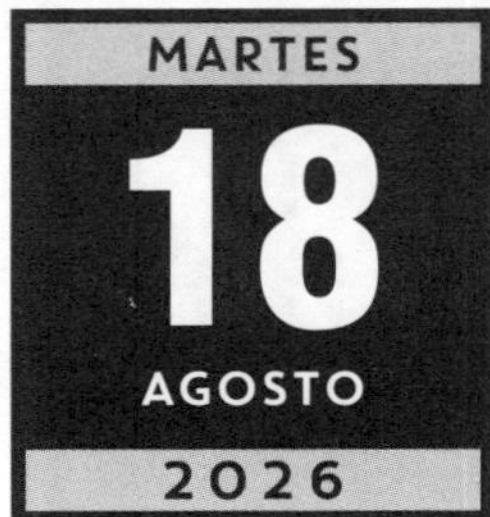

					1	**2**
3	4	5	6	7	8	**9**
10	11	12	13	14	**15**	**16**
17	18	19	20	21	22	**23**
24	25	26	27	28	29	**30**
31						

«Aprende que el que da con una mano, recogerá siempre con las dos».

Og Mandino

		1	2	3
4	5	6	7	8	9	10
11	12	13	14	15	16	17
18	19	20	21	22	23	24
25	26	27	28	29	30	31

«No es la carga lo que te destruye, sino la forma en que la llevas».

Lou Holtz

					1	**2**
3	4	5	6	7	8	**9**
10	11	12	13	14	**15**	**16**
17	18	19	20	21	22	**23**
24	25	26	27	28	29	**30**
31						

«Para alcanzar tus metas huye de tus miedos
y persigue tus sueños».

Marcos Álvarez

			1	2	3
4	5	6	7	8	9	10
11	12	13	14	15	16	17
18	19	20	21	22	23	24
25	26	27	28	29	30	31

«Las personas difíciles suelen ser simplemente personas bajo estrés, desalineadas o incomprendidas».

Amy Gallo

«Los líderes no nacen ni se hacen, sino que se hacen a sí mismos».

Stephen Covey

			1	2	3
4	5	6	7	8	9	10
11	12	13	14	15	16	17
18	19	20	21	22	23	24
25	26	27	28	29	30	31

«El ignorante ataca con la boca. El sabio se defiende con el silencio».

Gandhi

«Un clásico es un libro que nunca termina de decir
lo que tiene que decir».

Italo Calvino

			1	2	3
4	5	6	7	8	9	10
11	12	13	14	15	16	17
18	19	20	21	22	23	24
25	26	27	28	29	30	31

«La gloria está en la adversidad, la pereza en la comodidad».

Al-Mutanabbi

«La ventaja de enfrentarse a un muro es que puedes predecir
en todo momento su reacción».

Ángel Castiñeira

			1	2	3
4	5	6	7	8	9	10
11	12	13	14	15	16	17
18	19	20	21	22	23	24
25	26	27	28	29	30	31

«Es imposible que una persona aprenda lo que cree que ya sabe».

Epicteto

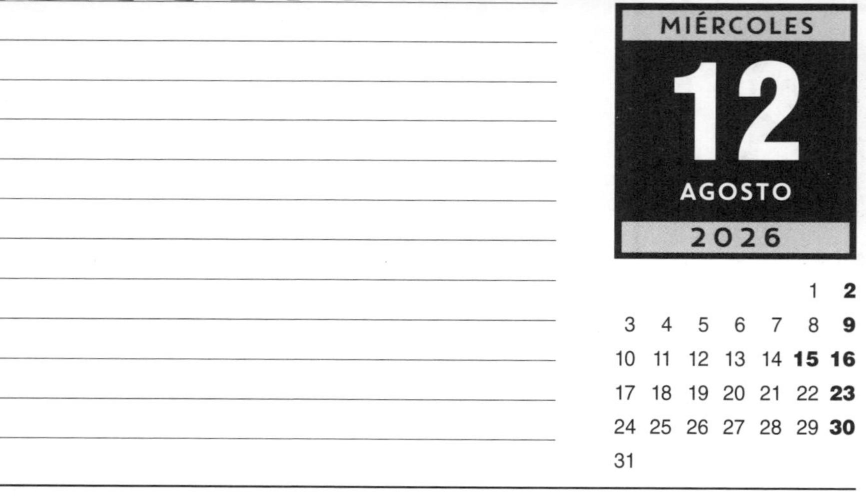

«La inversión más importante que puedes hacer es en ti mismo».

Warren Buffett

			1	2	3	
4	5	6	7	8	9	10
11	12	13	14	15	16	17
18	19	20	21	22	23	24
25	26	27	28	29	30	31

«La cultura es el alma de una nación, su motor para el crecimiento y el entendimiento».

Mohammed Ben Brahim Assarraj

«Los locos abren los caminos que más tarde recorren los sabios».

Carlo Dossi

			1	2	3
4	5	6	7	8	9	10
11	12	13	14	15	16	17
18	19	20	21	22	23	24
25	26	27	28	29	30	31

«Todos somos aficionados. La vida es tan corta que no da para más».

Charles Chaplin

					1	**2**
3	4	5	6	7	8	**9**
10	11	12	13	14	**15**	**16**
17	18	19	20	21	22	**23**
24	25	26	27	28	29	**30**
31						

«El conflicto no es intrínsecamente malo, lo que importa es cómo lo manejamos».

Amy Gallo

1 2 3 4 5 6 **7**
8 9 10 11 12 13 **14**
15 16 17 18 19 20 **21**
22 23 24 25 26 27 **28**
29 30

«La única manera de vencer a la competencia es dejar de intentar vencerla».

W. Chan Kim y Renée Mauborgne

«El conocimiento habla, pero la sabiduría escucha».

Jimi Hendrix

1 2 3 4 5 6 **7**
8 9 10 11 12 13 **14**
15 16 17 18 19 20 **21**
22 23 24 25 26 27 **28**
29 30

«El racismo es una de las peores formas de ignorancia».

Tahar Ben Jelloun

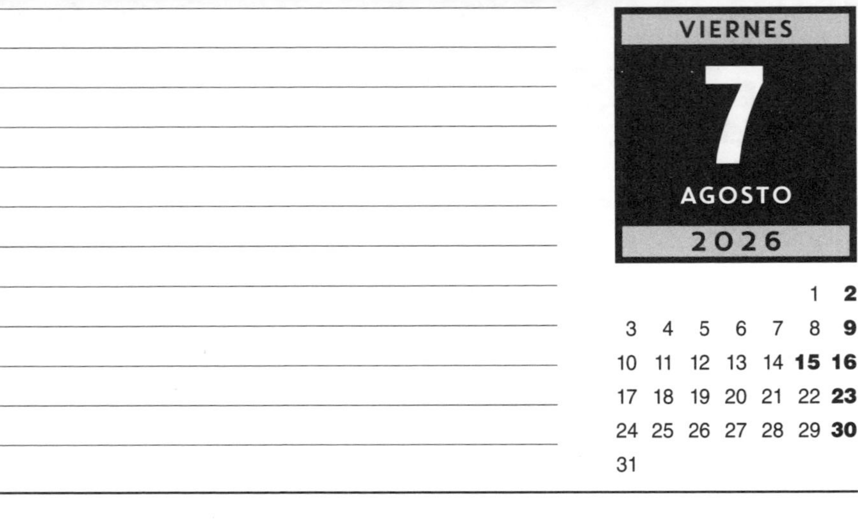

«No critiques a tus enemigos, que a lo mejor aprenden».

Juan Goytisolo

1	2	3	4	5	6	**7**
8	9	10	11	12	13	**14**
15	16	17	18	19	20	**21**
22	23	24	25	26	27	**28**
29	30					

«El esfuerzo constante, no la fuerza ni la inteligencia, es la clave para desbloquear nuestro potencial».

Winston Churchill

«El verdadero viaje de descubrimiento no consiste en buscar nuevos paisajes, sino en tener nuevos ojos».

Marcel Proust

1 2 3 4 5 6 **7**
8 9 10 11 12 13 **14**
15 16 17 18 19 20 **21**
22 23 24 25 26 27 **28**
29 30

«No midas el éxito por la cosecha de hoy. Mide el éxito por las semillas que plantas hoy».

Robert Stevenson

«Si lo piensas, decídelo. Si lo decidiste, no lo pienses».

Proverbio japonés

1 2 3 4 5 6 **7**
8 9 10 11 12 13 **14**
15 16 17 18 19 20 **21**
22 23 24 25 26 27 **28**
29 30

«Si otros pudieron, ¡yo también puedo! Si otros no pudieron,
¡yo puedo ser el primero!».

Bibi Cuartango

«Los paraguas hay que comprarlos cuando no llueve.
Cuando empieza a caer agua son caros y ya te habrás mojado».

Jacobo Zarco

1	2	3	4	5	6	**7**
8	9	10	11	12	13	**14**
15	16	17	18	19	20	**21**
22	23	24	25	26	27	**28**
29	30					

«Solo cuando conoces cada detalle de la condición del terreno puedes maniobrar y luchar».

Sun Tzu

					1	**2**
3	4	5	6	7	8	**9**
10	11	12	13	14	**15**	**16**
17	18	19	20	21	22	**23**
24	25	26	27	28	29	**30**
31						

«La innovación y el cambio no solo requieren nuevas ideas, sino nuevos comportamientos».

Behnam Tabrizi

1	2	3	4	5	6	**7**
8	9	10	11	12	13	**14**
15	16	17	18	19	20	**21**
22	23	24	25	26	27	**28**
29	30					

«El poder sin principios es estéril, pero los principios sin poder son inútiles».

Tony Blair

«La vida es muy corta. Ríe cuando puedas, discúlpate cuando debas y aléjate de lo que no puedas cambiar».

					1	2
3	4	5	6	7	8	9
10	11	12	13	14	15	16
17	18	19	20	21	22	23
24	25	26	27	28	29	30
31						

1	2	3	4	5	6	**7**
8	9	10	11	12	13	**14**
15	16	17	18	19	20	**21**
22	23	24	25	26	27	**28**
29	30					

«La experiencia es la suma de años y errores».

VIERNES

31

JULIO

2026

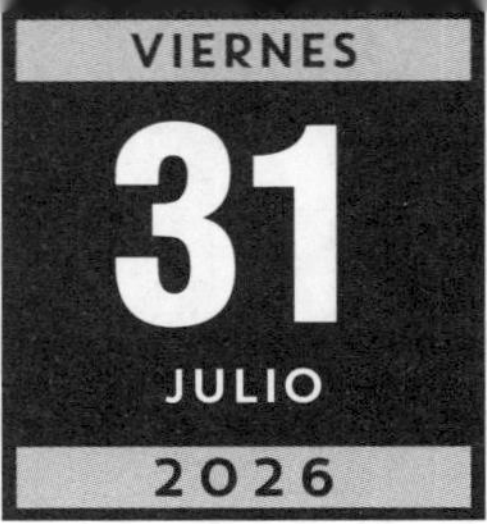

		1	2	3	4	**5**
6	7	8	9	10	11	**12**
13	14	15	16	17	18	**19**
20	21	22	23	24	25	**26**
27	28	29	30	31		

«No eleves lo que es frágil, es decir, no lo expongas a que caiga».

Joseph Joubert

1	2	3	4	5	6	**7**
8	9	10	11	12	13	**14**
15	16	17	18	19	20	**21**
22	23	24	25	26	27	**28**
29	30					

«No importa cuántas veces fracases, lo importante es levantarse una vez más de lo que caíste».

Mary Pickford

JUEVES

30

JULIO

2026

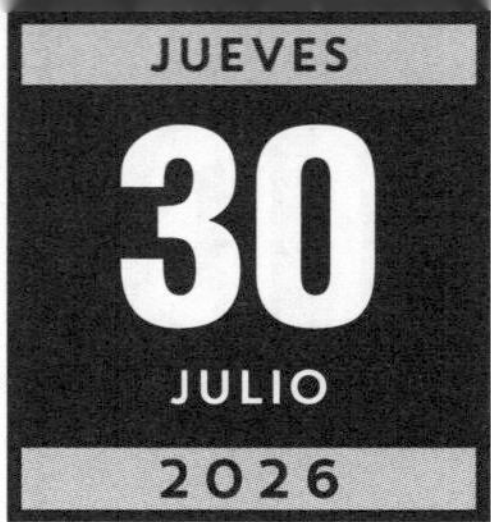

		1	2	3	4	**5**
6	7	8	9	10	11	**12**
13	14	15	16	17	18	**19**
20	21	22	23	24	25	**26**
27	28	29	30	31		

«Si eres capaz de llevar adelante un negocio, eres capaz de llevar adelante cualquiera».

Richard Branson

1	2	3	4	5	6	**7**
8	9	10	11	12	13	**14**
15	16	17	18	19	20	**21**
22	23	24	25	26	27	**28**
29	30					

«Hay tres tipos de personas: Los que aprenden por conocimiento, los que aprenden por experiencia y los que nunca aprenden».

Jesse Livermore

MIÉRCOLES

29

JULIO

2026

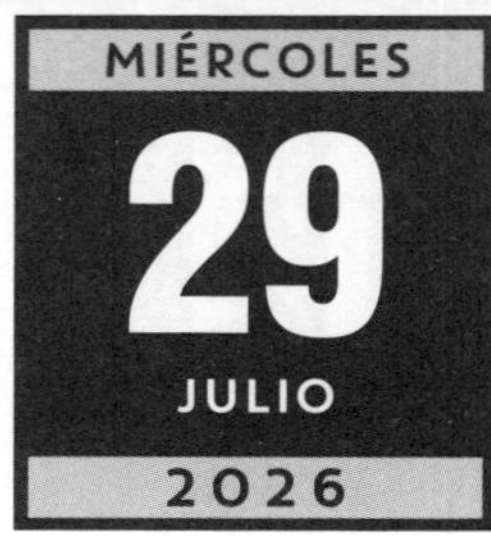

		1	2	3	4	**5**
6	7	8	9	10	11	**12**
13	14	15	16	17	18	**19**
20	21	22	23	24	25	**26**
27	28	29	30	31		

«La calidad se recuerda mucho tiempo después de haber olvidado el precio».

Gucci

1 2 3 4 5 6 **7**
8 9 10 11 12 13 **14**
15 16 17 18 19 20 **21**
22 23 24 25 26 27 **28**
29 30

«No se trata de ser el más rápido, sino de ser el mejor».

Mohamed Alí

MARTES

28

JULIO

2026

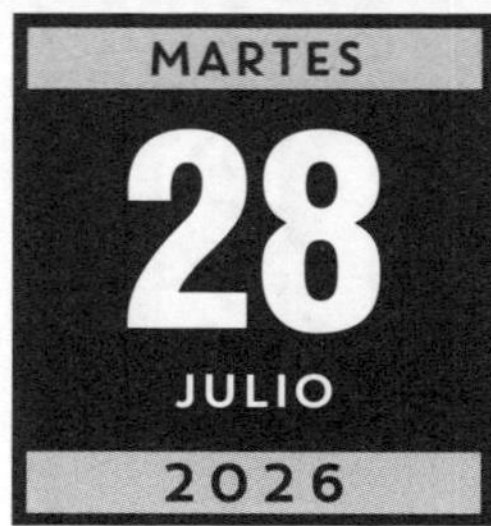

		1	2	3	4	**5**
6	7	8	9	10	11	**12**
13	14	15	16	17	18	**19**
20	21	22	23	24	25	**26**
27	28	29	30	31		

«La vida es igual en todas partes, lo que cambia es la manera de sentirla».

Clarice Lispector

1	2	3	4	5	6	**7**
8	9	10	11	12	13	**14**
15	16	17	18	19	20	**21**
22	23	24	25	26	27	**28**
29	30					

«La vida es un instante, y en ese instante podemos ser todo lo que queremos ser».

Clarice Lispector

LUNES

27

JULIO

2026

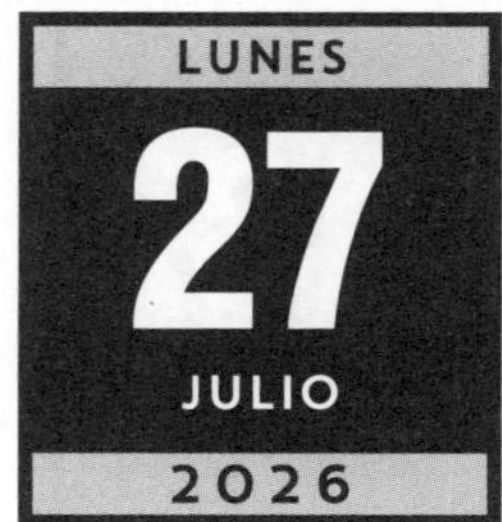

		1	2	3	4	**5**
6	7	8	9	10	11	**12**
13	14	15	16	17	18	**19**
20	21	22	23	24	25	**26**
27	28	29	30	31		

«El pensamiento creativo no es un talento, es una habilidad que se puede aprender».

Paul Sloane

1	2	3	4	5	6	**7**
8	9	10	11	12	13	**14**
15	16	17	18	19	20	**21**
22	23	24	25	26	27	**28**
29	30					

«La resistencia al cambio es natural; comprender sus raíces es el primer paso para superarla».

Néstor Gavilán Ferrer

«La ocasión hay que crearla, no esperar a que llegue».

Francis Bacon

		1	2	3	4	**5**
6	7	8	9	10	11	**12**
13	14	15	16	17	18	**19**
20	21	22	23	24	25	**26**
27	28	29	30	31		

1	2	3	4	5	6	**7**
8	9	10	11	12	13	**14**
15	16	17	18	19	20	**21**
22	23	24	25	26	27	**28**
29	30					

«Somos todos muy ignorantes. Lo que ocurre es que todos
no ignoramos las mismas cosas».

Albert Einstein

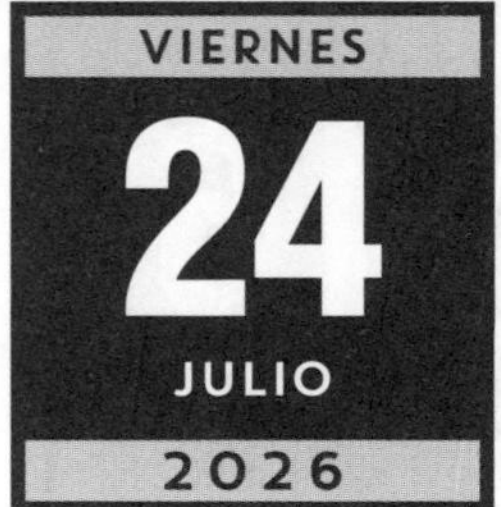

VIERNES

24

JULIO

2026

		1	2	3	4	**5**
6	7	8	9	10	11	**12**
13	14	15	16	17	18	**19**
20	21	22	23	24	25	**26**
27	28	29	30	31		

«El liderazgo es la capacidad de transformar la visión en realidad».

Warren Bennis

1	2	3	4	5	6	**7**
8	9	10	11	12	13	**14**
15	16	17	18	19	20	**21**
22	23	24	25	26	27	**28**
29	30					

«Lo que provoca desempleo es la mala formación, no la tecnología».

Nicolás Negroponte

«No tienes que ser grande para empezar, pero debes empezar
para ser grande».

1 2 3 4 5 6 **7**
8 9 10 11 12 13 **14**
15 16 17 18 19 20 **21**
22 23 24 25 26 27 **28**
29 30

«Las personas inteligentes quieren aprender; las demás, enseñar».

Anton Chéjov

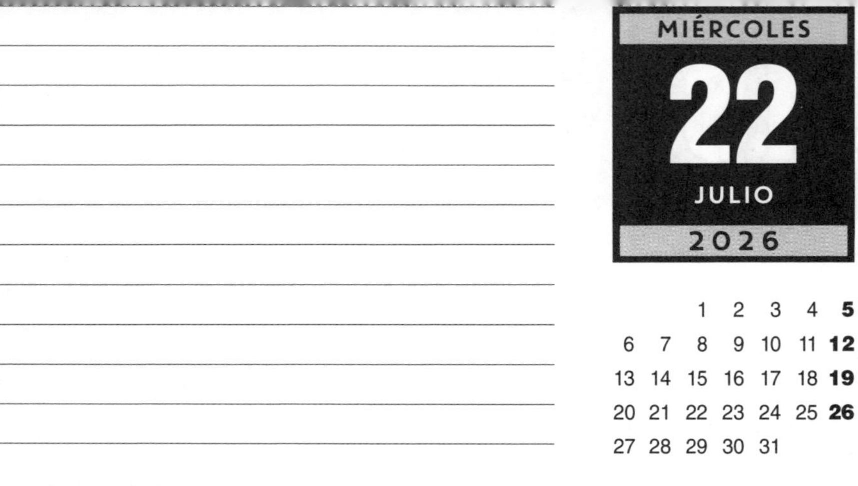

«No se puede nadar hacia nuevos horizontes hasta que se tiene
el coraje de perder de vista la orilla».

William Faulkner

1	2	3	4	5	6	**7**
8	9	10	11	12	13	**14**
15	16	17	18	19	20	**21**
22	23	24	25	26	27	**28**
29	30					

«Cada fracaso nos enseña algo que necesitábamos aprender».

Charles Dickens

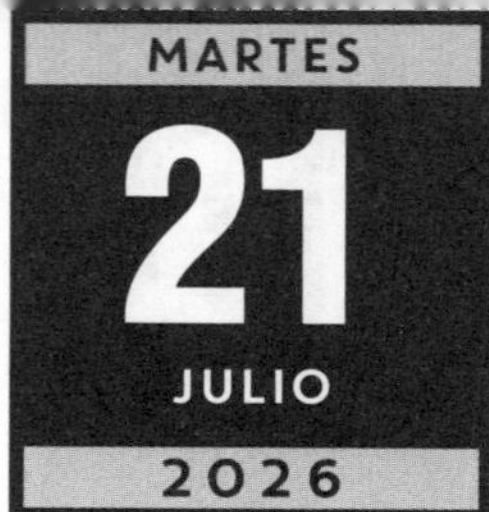

MARTES

21

JULIO

2026

		1	2	3	4	**5**
6	7	8	9	10	11	**12**
13	14	15	16	17	18	**19**
20	21	22	23	24	25	**26**
27	28	29	30	31		

«En toda jerarquía, cualquier empleado tiende a ascender hasta su nivel de incompetencia».

Laurence J. Peter

1	2	3	4	5	6	**7**
8	9	10	11	12	13	**14**
15	16	17	18	19	20	**21**
22	23	24	25	26	27	**28**
29	30					

«No se atrapa al cachorro del tigre sin entrar a su cueva».

Proverbio coreano

LUNES

20

JULIO

2026

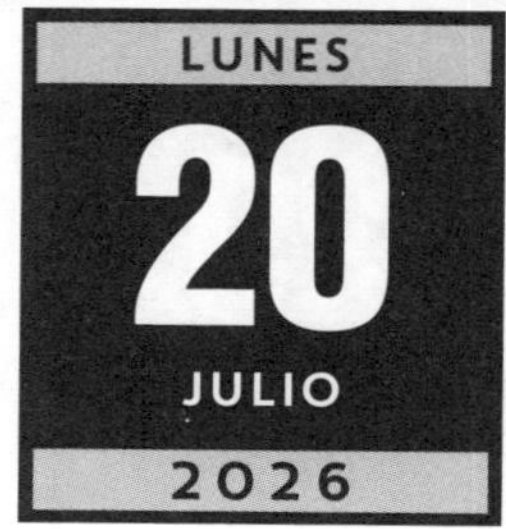

		1	2	3	4	**5**
6	7	8	9	10	11	**12**
13	14	15	16	17	18	**19**
20	21	22	23	24	25	**26**
27	28	29	30	31		

«Las mejores ideas surgen como chistes. Haz tu pensamiento lo más divertido posible».

David Ogilvy

1	2	3	4	5	6	**7**
8	9	10	11	12	13	**14**
15	16	17	18	19	20	**21**
22	23	24	25	26	27	**28**
29	30					

«La eficiencia consiste en hacer las cosas bien; la efectividad en hacer las cosas correctas».

Peter F. Drucker

		1	2	3	4	**5**
6	7	8	9	10	11	**12**
13	14	15	16	17	18	**19**
20	21	22	23	24	25	**26**
27	28	29	30	31		

«Flota como una mariposa, pica como una abeja».

Mohamed Alí

1	2	3	4	5	6	**7**
8	9	10	11	12	13	**14**
15	16	17	18	19	20	**21**
22	23	24	25	26	27	**28**
29	30					

«Ignoramos nuestra verdadera estatura hasta que nos ponemos en pie».

Emily Dickinson

VIERNES

17

JULIO

2026

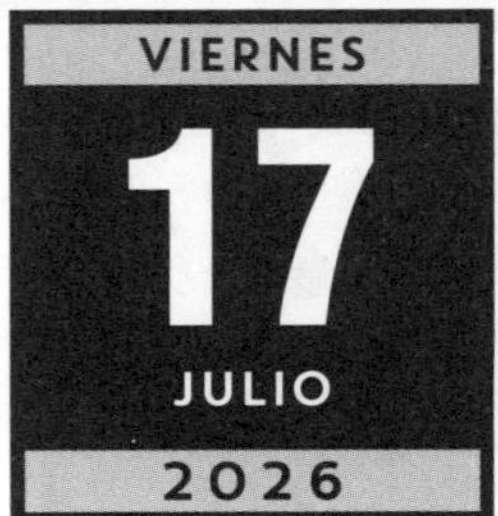

		1	2	3	4	**5**
6	7	8	9	10	11	**12**
13	14	15	16	17	18	**19**
20	21	22	23	24	25	**26**
27	28	29	30	31		

«Una síntesis vale por 10 análisis».

Eugeni d'Ors

1	2	3	4	5	6	**7**
8	9	10	11	12	13	**14**
15	16	17	18	19	20	**21**
22	23	24	25	26	27	**28**
29	30					

«Sé tú mismo; los demás ya están ocupados».

Oscar Wilde

JUEVES

16

JULIO

2026

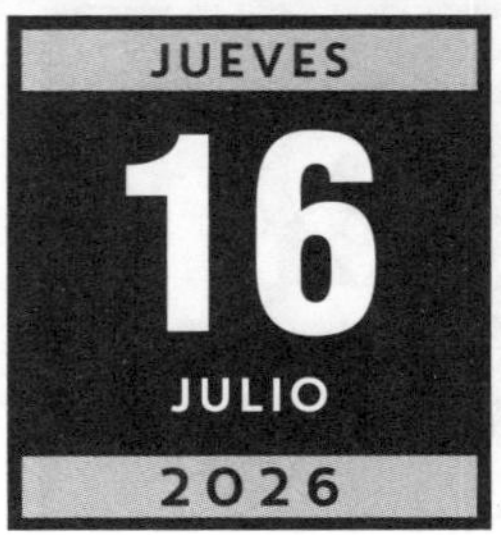

		1	2	3	4	**5**
6	7	8	9	10	11	**12**
13	14	15	16	17	18	**19**
20	21	22	23	24	25	**26**
27	28	29	30	31		

«El que sabe hablar, sabe también cuándo hacerlo».

Arquímedes

1 2 3 4 5 6 **7**
8 9 10 11 12 13 **14**
15 16 17 18 19 20 **21**
22 23 24 25 26 27 **28**
29 30

«No se pueden detener las olas, pero se puede aprender a surfear».

Jon Kabat-Zinn

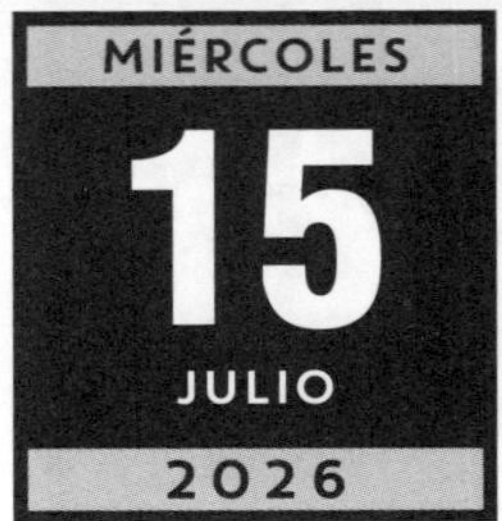

MIÉRCOLES

15

JULIO

2026

		1	2	3	4	**5**
6	7	8	9	10	11	**12**
13	14	15	16	17	18	**19**
20	21	22	23	24	25	**26**
27	28	29	30	31		

«En tiempos de crisis unos lloran y otros venden pañuelos».

Warren Buffett

1 2 3 4 5 6 **7**
8 9 10 11 12 13 **14**
15 16 17 18 19 20 **21**
22 23 24 25 26 27 **28**
29 30

«Si solo lees los libros que todos leen, solo podrás pensar lo que todos piensan».

Haruki Murakami

MARTES

14

JULIO

2026

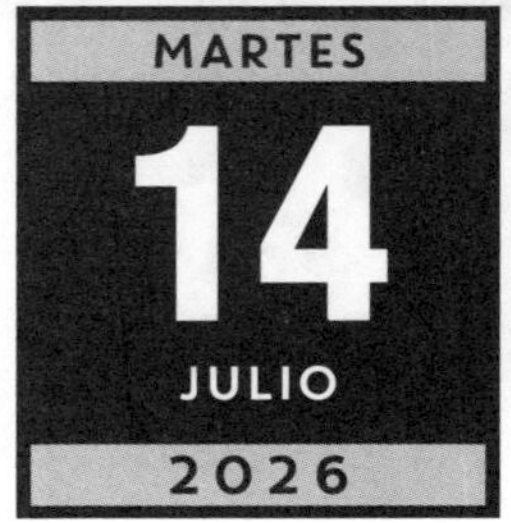

		1	2	3	4	**5**
6	7	8	9	10	11	**12**
13	14	15	16	17	18	**19**
20	21	22	23	24	25	**26**
27	28	29	30	31		

«El sabio no dice nunca todo lo que piensa, pero siempre piensa todo lo que dice».

Aristóteles

1 2 3 4 5 6 **7**
8 9 10 11 12 13 **14**
15 16 17 18 19 20 **21**
22 23 24 25 26 27 **28**
29 30

«Para que no te decepciones, aprende a saber con quién tratas. No le pidas a una mosca volar en línea recta».

LUNES

13

JULIO

2026

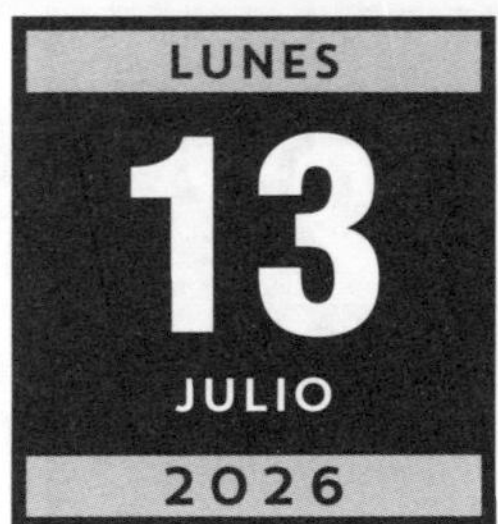

		1	2	3	4	**5**
6	7	8	9	10	11	**12**
13	14	15	16	17	18	**19**
20	21	22	23	24	25	**26**
27	28	29	30	31		

«La inversión en valor funciona. Con el tiempo. Pero no todo el tiempo».

Joel Greenblatt

1	2	3	4	5	6	**7**
8	9	10	11	12	13	**14**
15	16	17	18	19	20	**21**
22	23	24	25	26	27	**28**
29	30					

«Solo cuando conectas con lo que importa, encuentras paz y dirección en tu vida. La clave no es evitar el vacío, sino llenarlo con significado».

Vicente Ferrio

«Donde todos piensan igual, ninguno piensa mucho».

Walter Lippmann

		1	2	3	4	**5**
6	7	8	9	10	11	**12**
13	14	15	16	17	18	**19**
20	21	22	23	24	25	**26**
27	28	29	30	31		

1 2 3 4 5 6 **7**
8 9 10 11 12 13 **14**
15 16 17 18 19 20 **21**
22 23 24 25 26 27 **28**
29 30

«Aquellos que deliberan exhaustivamente antes de dar un paso,
se pasan la vida sobre una sola pierna».

Anthony de Mello

VIERNES

10

JULIO

2026

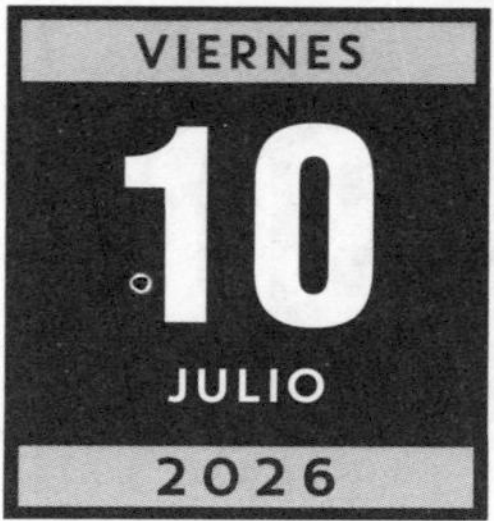

		1	2	3	4	**5**
6	7	8	9	10	11	**12**
13	14	15	16	17	18	**19**
20	21	22	23	24	25	**26**
27	28	29	30	31		

«La paciencia es una virtud que debemos cultivar, nos ayuda a aceptar las cosas que no podemos cambiar y a confiar en que todo sucede en el momento adecuado».

Katherine Mansfield

		1	2	3	4	**5**
6	7	8	9	10	11	**12**
13	14	15	16	17	18	**19**
20	21	22	23	24	25	**26**
27	28	29	30	31		

«No ganan siempre los buenos, ganan los que luchan».

Diego Simeone

JUEVES

9

JULIO

2026

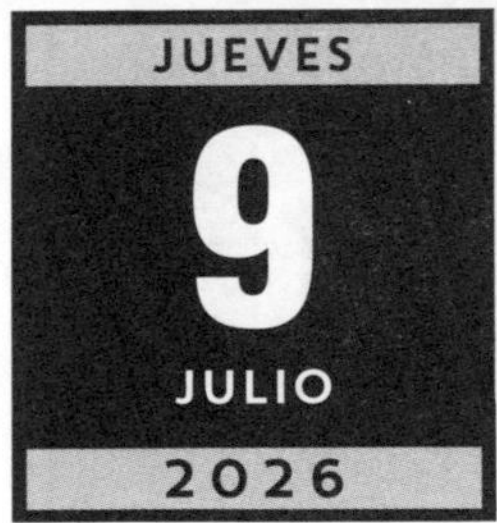

		1	2	3	4	**5**
6	7	8	9	10	11	**12**
13	14	15	16	17	18	**19**
20	21	22	23	24	25	**26**
27	28	29	30	31		

«El marketing no es el arte de vender lo que uno produce, sino de conocer qué producir».

Philip Kotler

		1	2	3	4	**5**
6	7	8	9	10	11	**12**
13	14	15	16	17	18	**19**
20	21	22	23	24	25	**26**
27	28	29	30	31		

«No tienes que ser más inteligente que el resto. Tienes que ser más disciplinado que el resto».

Warren Buffett

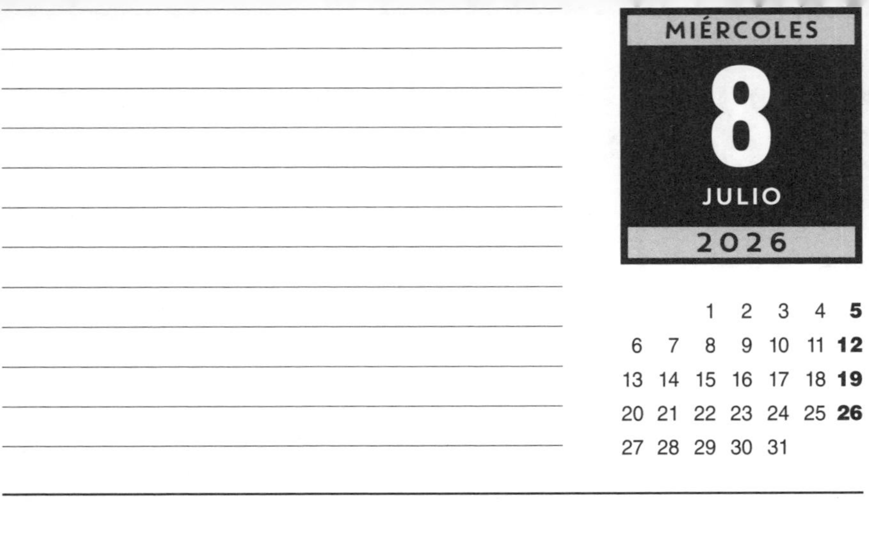

«La honestidad es un regalo muy caro. No la esperes de gente barata».

Warren Buffett

	1	2	3	4	**5**
6	7	8	9	10	11	**12**
13	14	15	16	17	18	**19**
20	21	22	23	24	25	**26**
27	28	29	30	31		

«Nuestra mayor fuente de conocimiento son nuestros clientes más insatisfechos».

Bill Gates

MARTES

7

JULIO

2026

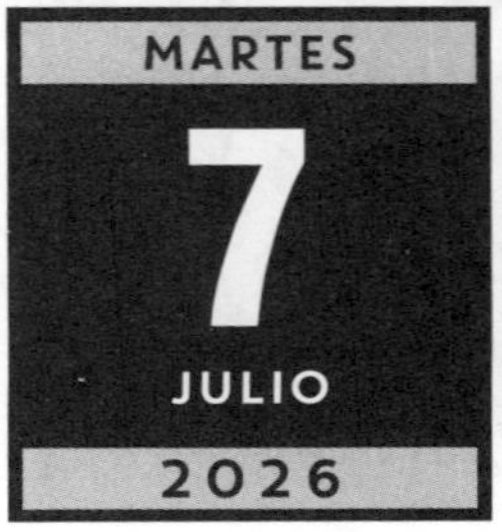

		1	2	3	4	**5**
6	7	8	9	10	11	**12**
13	14	15	16	17	18	**19**
20	21	22	23	24	25	**26**
27	28	29	30	31		

«Solo cabe progresar cuando se piensa en grande, solo es posible avanzar cuando se mira lejos».

José Ortega y Gasset

          1   2   3   4   **5**
  6   7   8   9 10 11 **12**
 13 14 15 16 17 18 **19**
 20 21 22 23 24 25 **26**
 27 28 29 30 31

«No hay mejor almohada que dormir sobre una conciencia limpia».

LUNES

6

JULIO

2026

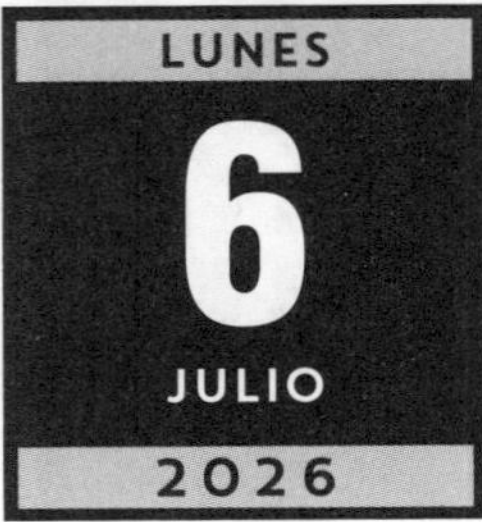

		1	2	3	4	**5**
6	7	8	9	10	11	**12**
13	14	15	16	17	18	**19**
20	21	22	23	24	25	**26**
27	28	29	30	31		

«Los mejores traders no son los que evitan el estrés, sino los que desarrollan resiliencia ante él».

Brett N. Steenbarger